Prá você

Com carinho

Flop. 16.03.90

Raquel

Dashiell Hammett

MULHER NO ESCURO

Tradução de Marcelo Kahns

L&PM EDITORES

título original: Woman in the Dark

ISBN: 85-254-0267-2

tradução: Marcelo Kahns
revisão: Ana Teresa Cirne Lima, Carlos Pinheiro Machado, Eliana Guedes Müssnich e Márcia Helena S. Barbosa
capa: L&PM Editores
fotocomposição, paginação e filmes:
Helvética Editorial Ltda.

H215m Hammett, Dashiell
Mulher no Escuro Dashiel Hammett; tradução de Marcelo Kahns. — Porto Alegre: L&PM, 1989.
80p. ; 21 cm

1. Romances norte-americanos policiais. I. Título.

CDD 813.872
CDU 820(73)-3

Catalogação elaborada por Izabel A. Merlo, CRB 10/329.

Av. Nova Iorque, 306 - 90450 - Porto Alegre - RS
Praça Monteiro dos Santos, 65 - São Paulo - SP

Impresso no Brasil
Primavera de 1989

Sumário

Mulher no escuro: Um romance perigoso

Mulher no escuro foi publicado na revista *Liberty* em três partes — 8 de abril, 15 de abril e 22 de abril de 1933 —, aparecendo, portanto, depois de Dashiell Hammett ter escrito todos os seus romances, com exceção de um. Parece-se muito com Hammett: os nomes estranhos (Brazil), um diálogo não muito animado, policiais um tanto indiferentes, os sujeitos maus da classe alta, os bons sujeitos da classe baixa, embora a desconfiança em relação aos ricos não estivesse muito presente para Hammett em 1933. Mesmo assim, também nos mostra uma visão de vida de Hammett que estava em transição.

No *Falcão Maltês,* Sam Spade relembra a história do seu passado de investigador a Brigid O'Shaughnessy, enquanto esperam por Joel Cairo. Esta é uma versão reduzida. As palavras são de Hammett; a redução, minha.

Um homem chamado Flitcraft deixou o seu escritório na imobiliária, em Tacoma, para ir almoçar um certo dia e nunca mais voltou...

"Ele saiu assim", disse Spade, "como o punho quando você abre a mão... Bem, isso foi em 1922. Em

1927, eu trabalhava com uma das maiores agências de detetives de Seattle. A sra. Flitcraft entrou e contou-nos que alguém tinha visto um homem em Spokane que parecia muito com o seu marido. Fui para lá. Era ele mesmo, Flitcraft..."

"Aqui está o que aconteceu com ele. Saindo para o almoço, passou por um edifício em construção — ainda era apenas um esqueleto. Uma viga ou algo parecido caiu do alto de oito ou dez andares e esmagou a calçada ao seu lado. A viga passou de raspão, mas não o atingiu, embora um pedaço da calçada tenha sido arrancado e atingido a sua face. Tirou apenas um pedaço de pele, mas ainda tinha a cicatriz quando o encontrei. Passava o dedo no local — bem, de uma maneira afetuosa — enquanto me contava a respeito. Claro que morreu de medo, disse-me, mas estava mais chocado do que realmente assustado. Parecia que alguém tinha levantado a tampa da vida e lhe mostrado o seu mecanismo."

Flitcraft tinha sido um bom cidadão e um bom marido e pai, não por uma compulsão externa, mas simplesmente porque se tratava de um homem confortavelmente em sintonia com a sua vizinhança. Tinha sido criado dessa maneira. As pessoas que conhecia eram assim. A vida que tinha conhecido era algo limpo, ordenado, sadio e responsável. Agora uma viga solta mostrava-lhe que a vida não era fundamentalmente nenhuma dessas coisas. Ele, o bom cidadão-marido-pai, podia desaparecer entre o escritório e o restaurante, por causa de um acidente com uma viga solta. Soube, então, que homens morriam por acasos como aquele e que viviam tão-somente enquanto o destino cego lhes poupava.

Não era a injustiça disso que o perturbava: aceitou isso depois do primeiro choque. O que o perturbava era a descoberta de que, ordenando, de uma maneira sensível, os seus negócios, a sua vida tinha saído da linha, e não entrado nela. Antes de ter se afastado uns cinco metros da viga caída, sabia que nunca mais teria paz novamente, até que tivesse se ajustado a essa nova visão da vida. Quando acabou o almoço já tinha descoberto a maneira de se ajustar. A vida podia terminar para ele por acaso, por uma viga em queda: mudaria a sua vida por acaso, simplesmente indo embora. Amava a sua família, disse, tanto quanto supunha fosse o habitual, mas sabia que a estava deixando protegida, e o seu amor por ela não era daqueles que tornaria a ausência dolorosa.

"Foi a Seattle naquela tarde", disse Spade, "e de lá, de barco, até São Francisco. Por alguns anos, andou por aí; depois voltou à região noroeste, fixou-se em Spokane e casou. A sua segunda mulher não se parecia com a primeira, mas elas tinham mais semelhanças que diferenças. Você sabe, o tipo de mulher que joga bem golfe e bridge e gosta de novas receitas de saladas. Não se arrependia por aquilo que tinha feito. Parecia-lhe bastante razoável. Acho que ele não sabia que tinha se ajustado à mesma rotina da qual tinha escapado em Tacoma. Mas esta é a parte da qual eu sempre gostei. Ele se ajustou a vigas caindo e, de repente, não havia mais vigas caindo e ele, então, ajustou-se ao fato de que elas não mais caíam."

Lembra muito mais algo para passar o tempo, conversa fiada enquanto se está esperando alguém. Mas é claro que não é isso. É a mola propulsora de Spade.

E é esta visão de um universo implacável, ao acaso, que dá forma a toda a obra de Hammett.

Os homens, em sua obra, são como Brazil. Algumas vezes, são detetives, às vezes não, mas são homens que entendem a vida tal como Spade a entendia, esperando viesse o que viesse. São homens de poucos amigos e sem um contexto social permanente. Não têm família. A sua lealdade não é para com a lei, mas para com algo diverso, que pode ser chamado de ordem, um sentido de como as coisas deveriam ser. De muitas maneiras, estes homens parecem fazer parte do povo. Na verdade, ficou, por algumas vezes, muito na moda ver a obra de Hammett sob uma perspectiva marxista — embora, para tanto, fosse necessário, muitas vezes, forçar um pouco a barra. Mas estes homens parecem ser imunes às coisas que impulsionam as pessoas. Não parecem ter medo da morte. Parecem resistir às tentações de dinheiro e sexo. Parecem pairar acima da dor e não se surpreendem com a crueldade. Não têm ilusões. Brazil, em especial, parece ter se acomodado dentro de uma grande calma, como se nada lhe importasse muito.

No entanto, como na maior parte dos homens de Hammett, a paixão existe dentro dele, permanecendo sob controle apenas um pouco além da sua indiferença. A paixão muitas vezes se expressa em forma de ação, em vez de ser discursiva. A ação é, em geral, violenta. *Mulher no escuro* é muito mais história de amor do que as histórias que Hammet costumava escrever. Ela apareceu dois anos depois de ele ter começado a sua relação de uma vida inteira com Lillian Hellman, um ano antes da publicação do seu último romance, *The Thin Man*. E o final fortuito e o conseqüente ''felizes para sempre'', de Brazil e Luise, é muito mais sentimental do que Hammett costumava ser.

''O estilo de Hammett'', escreveu uma vez Raymond Chandler, ''no seu pior poderia ser considerado tão formal como uma página de Mário, o Epicurista; no seu melhor, poderia dizer qualquer coisa que quisesse''. Eu acredito que este estilo, que não pertence a Hammett e a ninguém, que é a Língua Americana (e nem mais isso, exclusivamente), pode expressar coisas que ele não sabia como dizer, ou tinha o desejo de dizer. Nas suas mãos, não existiam tons acima, não havia ecos, não invocava nenhuma imagem para além das montanhas. ''Talvez Hammett não soubesse como escrever sobre o amor ou, até então, não tivesse tido necessidade disso. A meu ver, o final feliz parece um pouco forçado, como se Hammett, ao tentar aproximar Brazil e Luise depois de tudo, tivesse esquecido o seu olhar arguto por um momento. Estou feliz por isso, na verdade. Sou muito sentimental.

Mas, se aqui isso funcionou muito bem, em *The Thin Man* ele quase se afogou. Foi como se Hammett não conseguisse acomodar a visão de vida ''flitcraftiana'' de Spade no seu impulso de escrever, finalmente, sobre o amor.

O que quer que estivesse se agitando na alma de Hammett, o certo é que, depois de *The Thin Man,* em 1934, Hammett nunca mais escreveu um romance e, quando morreu, em 1961, deixou apenas o fragmento de um romance em andamento, *Tulip.* Nele parecia estar tentando escrever algo diferente, algo que conseguisse integrar os impulsos conflitantes. Talvez ele tivesse se cansado. Talvez não tenha conseguido superar o conflito.

Mulher no escuro tem como subtítulo, afinal, "Um romance perigoso". É uma combinação que Hammett nunca tinha tentado antes. É uma combinação que funciona muito bem aqui. Nunca mais funcionou tão bem, mas para Hammett, o escritor, nada mais funcionaria.

Robert B. Parker

A fuga

O seu tornozelo direito se torceu sob o seu peso e ela caiu. O vento que vinha do sul, descendo pelo morro, balançando as árvores ao longo da estrada, transformou em um suspiro o seu grito e lhe arrancou o xale para dentro da escuridão. Sentou-se com vagar, com as palmas das mãos apoiadas no cascalho, ajeitando o seu corpo de maneira a libertar a perna que tinha torcido.

O pé direito do sapato estava jogado na estrada, perto de onde ela estava. Quando o colocou de volta, percebeu que lhe faltava o salto. Olhou ao seu redor e começou a procurar pelo salto, de gatinhas pelo caminho, morro acima, contra o vento, gemendo baixinho quando o joelho direito tocava o chão. Finalmente desistiu e tentou tirar o salto do outro sapato, mas não conseguiu. Colocou o sapato novamente, levantando-se com o vento pelas costas, vergando-se com a sua violência e com a inclinação da estrada. O vestido colou-se às suas costas, saindo voando pela sua frente. O cabelo se espalhava por sobre o rosto. Caminhando na ponta do pé direito, para compensar o salto perdido, começou a descer o morro.

Ao pé do morro, havia uma ponte de madeira e, cem metros mais adiante, uma placa — que não se conseguia ler no escuro — indicava uma bifurcação na estrada. Ela parou naquele lugar, olhando não para a placa, mas à sua volta, tremendo agora, embora o vento aí tivesse menos força que no alto do morro. A folhagem à esquerda se movimentava, deixando entrever uma luz amarelada. Seguiu pela estrada à esquerda. Dentro de pouco tempo, chegou a uma clareira na mata, ao longo da estrada, onde havia luz suficiente para indicar uma trilha, que saía da estrada e atravessava a clareira. A luz vinha de uma janela com uma cortina bem fina, de uma casa no final da trilha.

Seguiu pela trilha até lá e bateu à porta. Como não houve resposta, bateu novamente.

Uma voz masculina, rouca e desprovida de emoção, respondeu: "Entre": Ela abriu a porta. O vento estava mais forte, obrigando-a a segurar-se junto à porta, com as duas mãos, para não cair. O vento passou por ela, entrando na casa, levantando as cortinas e espalhando folhas de jornal que estavam sobre uma mesa. Conseguiu fechar a porta com esforço e, ainda apoiada nela, disse: "Desculpe". Tentava falar claro, apesar do sotaque.

O homem, que estava limpando o cachimbo ao lado da lareira, disse: "Está tudo bem". Os olhos de cobre pareciam tão impessoais quanto a voz rouca. "Termino com isso em um minuto." Não se levantou da cadeira. A ponta do canivete em sua mão raspava o interior da boca do cachimbo. Ela se afastou da porta e avançou, mancando, olhando-o com os olhos perplexos sob as sobrancelhas ligeiramente franzidas. Era uma mulher alta e se mantinha numa postura altiva, embora estivesse mancando e o vento tivesse desarrumado o cabelo, e o cascalho da estrada, cortado e sujado as mãos e braços nus e o crepe vermelho do vestido.

Ela disse, embora ainda tendo de lutar com as palavras: "Preciso ir até a estação. Machuquei o tornozelo na estrada. Hum?"

Ele, então, levantou os olhos daquilo que estava fazendo. O rosto bem marcado e pálido, sob cabelos rebeldes da cor dos olhos, não apresentava sinais de amizade ou de hostilidade. Olhou para o rosto da mulher, para a saia rasgada. Não voltou a cabeça para chamar: "Ei, Evelyn".

Uma garota — com um corpo delgado, de roupas esportivas, um rosto fino queimado pelo sol, com grandes e brilhantes olhos negros e cabelo curto e escuro — entrou na sala pela porta que estava às suas costas.

O homem não se voltou para olhá-la. Indicou com a cabeça a mulher de vermelho e disse: "Essa".

A mulher o interrompeu: "Eu me chamo Luise Fischer".

O homem disse: "A sua perna não está em ordem".

Os olhos escuros e observadores de Evelyn desviaram a sua atenção da mulher para o homem — não o estava vendo de frente — e novamente para a mulher. Sorriu, falando apressadamente: "Já estava de saída. Posso deixa-lá em Mile Valley, no caminho para casa."

A mulher parecia querer esboçar um sorriso. De repente, ainda com o olhar contemplativo e curioso, Evelyn enrubesceu, e o rosto assumiu um ar de desafio, enquanto avermelhava. A moça era bonita. Encarando-a, a mulher tornara-se bonita; os olhos eram longos, com longos cílios, bem protegidos por sobrancelhas bem delineadas, a boca não era pequena mas bem traçada e, com o clarão que o fogo na lareira produzia, a superfície do rosto ficava tão bem definida como se fosse matéria esculpida.

O homem soprou o cachimbo, formando uma pequena nuvem de pó preto. "Não adianta se apressar", disse. "Não passa nenhum trem antes das seis." Olhou para o relógio que estava colocado sobre a lareira. Marcava dez e trinta e três. "Por que você não a ajuda com a perna?"

A mulher disse: "Não, não precisa. Eu —". Colocou todo o seu peso sobre a perna machucada e hesitou um pouco, firmando-se com a mão na cadeira. A garota correu em sua direção, gaguejando arrependida: "Eu — eu não pensei. Desculpe." Colocou o braço em volta da mulher e ajudou-a a sentar-se na cadeira.

O homem levantou e colocou o cachimbo sobre a lareira, ao lado do relógio. Tinha estatura mediana, mas a corpulência fazia-o parecer menor. O pescoço, saindo da gola em v do suéter cinzento, era curto e musculoso. Calças largas, também cinzentas, logo abaixo do suéter, encontravam os sapatos de cor marrom, bem pesados. Fechou o canivete, colocando-o no bolso, antes de se voltar para olhar Luise Fischer.

Evelyn estava de joelhos em frente à mulher, tirando-lhe a meia da perna direita, conversando nervosamente: "Você cortou o joelho também. Ts-ts-ts! E o tornozelo está inchando. Não deveria ter andado tanto com esses sapatos." O seu corpo escondia a perna nua da mulher da vista do homem. "Agora, sente-se direito, que vou dar um jeito nisso.'' Começou a tirar a saia vermelha, rasgada, pela perna nua. O sorriso da mulher era discreto. Disse, de maneira cuidadosa: ''Você é muito gentil''.

A garota correu para fora do quarto. O homem tinha um maço de cigarros na mão. Sacudiu-o até que três cigarros ficassem mais ou menos um centímetro e meio para fora e ofereceu-os. ''Fuma?''

''Obrigada.'' Pegou um cigarro, colocou-o nos lábios e olhou para a sua mão enquanto ele lhe oferecia o fósforo. As mãos dele eram grossas, musculosas, mas não pareciam ser de alguém que trabalhasse pesado. Observou o seu rosto através dos cílios, enquanto ele acendia o seu cigarro. Era mais jovem do que parecia à primeira vista — talvez não tivesse mais de trinta e dois ou três — e os traços, sob a chama do fósforo, pareciam menos impassíveis que disciplinados.

''Machucou-se muito?'' O tom era apenas coloquial.

''Espero que não.'' Levantou a saia e olhou primeiro para o tornozelo, depois para o joelho. O tornozelo estava decididamente inchado, embora não muito; o joelho tinha um corte fundo e mais dois superficiais. Tocou a parte ferida com o dedo. ''Não gosto de sentir dor'', disse bastante séria.

Evelyn entrou com uma bacia com água fervente, panos, um rolo de gaze e sálvia. Os olhos negros cresceram ao ver o homem e a mulher, mas estavam escondidos pelas pálpebras abaixadas, quando os dois se voltaram em sua direção. ''Vou dar um jeito nisso. Em um minuto.'' Ajoelhou-se novamente em frente da mulher, a mão nervosa derrubando água pelo chão, o corpo entre a perna de Luise Fischer e o homem.

Ele dirigiu-se até à porta e olhou para fora, segurando a porta aberta uns quinze centímetros, contra o vento. A mulher perguntou à garota, que lhe banhava o tornozelo: "Não passa nenhum trem antes do amanhecer?". Ela franziu os lábios de uma maneira pensativa.

"Não."

O homem fechou a porta e disse: "Vai chover dentro de uma hora". Colocou mais lenha no fogo e ficou em pé — com as pernas abertas, mãos nos bolsos, o cigarro em um canto de sua boca — observando Evelyn cuidar da perna da mulher. O rosto estava tranqüilo.

A garota secou o tornozelo e começou a cobri-lo com gaze, sempre com maior velocidade, respirando agora mais rapidamente. Mais uma vez, a mulher parecia que iria abrir um sorriso para a garota, mas em vez disso, falou apenas: "Você é muito gentil".

A garota murmurou: "Não é nada".

Três batidas fortes soaram na porta.

Luise Fischer espantou-se, deixou cair o cigarro, olhou rapidamente através do quarto com olhos assustados. A garota não levantou a cabeça, continuando o trabalho. O homem, não dando a perceber, pela expressão do rosto ou por seus modos, que tinha notado o espanto da mulher, voltou o rosto em direção à porta e gritou com a voz rouca: "Pode entrar".

A porta se abriu e um grande dinamarquês malhado entrou, seguido por dois homens vestidos para uma noitada elegante. O cão foi direto até Luise Fischer e lambeu-lhe a mão. Ela estava olhando para os dois homens que haviam acabado de entrar. Não havia calor nem timidez no seu olhar.

Um dos homens tirou o quepe — era de tweed cinza, combinando com o casacão — e dirigiu-se a ela, sorrindo. ''Então é aqui que você veio parar?'' O sorriso desapareceu quando viu a perna e os curativos. ''O que aconteceu?'' Parecia ter uns quarenta anos, bem educado, maneiras graciosas, cabelo escuro suave, olhos escuros e inteligentes — bastante solícitos no momento — e um bigode escuro bem aparado. Tirou o cachorro de sua frente e tomou a mão da mulher.

''Não é nada sério, espero.'' Ela não sorriu. A voz era fria. ''Caí na estrada e torci o tornozelo. Essas pessoas foram muito-''

Ele voltou-se para o homem que vestia cinza, estendendo a mão, dizendo de uma maneira brusca: ''Muito obrigado por ter cuidado da Fräulein Fischer. Você é Brazil, não é?''

O homem com o suéter acenou com a cabeça. ''E você deve ser Kane Robson.''

''Certo''. Robson voltou a cabeça para o homem que ainda estava ao lado da porta. ''Sr. Conroy.''

Brazil acenou com a cabeça. Conroy disse: ''Como vai'', e avançou em direção a Luise Fischer. Ele era uns dois centímetros mais alto que Robson — que tinha quase um metro e oitenta —, dez anos mais moço, loiro, ombros largos e magro, uma cabeça pequena, bonita e bem talhada e feições marcadamente simétricas. Levava um casacão escuro por sobre um dos ombros e segurava um chapéu preto na mão. Sorriu para a mulher e disse: ''Que travessura, hein?''.

Ela se dirigiu a Robson: ''Por que vocês vieram até aqui?''

Ele sorriu amavelmente, levantando os ombros.

"Você disse que não estava se sentindo bem e ia se deitar um pouco. Quando Helen subiu ao quarto para ver como estava, você tinha sumido. Ficamos com medo que tivesse saído e que alguma coisa houvesse acontecido com você." Olhou para o joelho, levantando novamente os ombros. "É, acho que tínhamos razão."

Nada no seu rosto parecia corresponder ao sorriso. "Vou para a cidade", ela lhe disse. "Agora vocês já sabem."

"Tudo bem, se é isso que quer" — ele estava de bom humor — "mas você não pode ir assim." Indicou com a cabeça o elegante vestido rasgado. "Vamos levá-la de volta para casa, e aí você pode mudar de roupa, fazer a mala e —", voltou-se para Brazil. "Quando passa o próximo trem?" Brazil disse: "Às seis". O cachorro estava farejando as suas pernas.

"Pois é", disse Robson, muito calmo, dirigindo-se mais uma vez à mulher. "Temos tempo suficiente."

Ela olhou para as suas roupas e pareceu se dar por satisfeita. "Vou assim mesmo", retrucou ela.

"Espere aí, Luise", começou Robson novamente, de uma maneira bastante razoável. "Você tem muito tempo antes do trem chegar — tempo suficiente para descansar um pouco, repousar e —"

Ela simplesmente disse: "Eu fui embora".

Robson fez uma careta aparentando impaciência, mas ainda com um certo humor, e estendeu as palmas das mãos em um gesto de impotência. "Mas o que é que você vai fazer?", em um tom que combinava com o gesto. "Você não espera que o Brazil fique com você até o trem chegar e ainda tenha de levá-la até a estação?''

Ela olhou para Brazil e perguntou com muita calma: ''É pedir muito?''. Brazil sacudiu a cabeça sem muita preocupação. ''Hum-hum.'' Robson e Conroy voltaram-se para olhar Brazil. Havia um interesse considerável em seus olhos, mas nenhuma hostilidade aparente. Ele agüentou a inspeção calmamente.

Luise Fischer, exprimindo a sua decisão de dar um fim a isso, disse de uma maneira fria: ''Então''.

Conroy interrogava Robson com o olhar, enquanto este, com um suspiro pesaroso, perguntou: ''Você está mesmo decidida quanto a isso, Luise?''.

''Sim.''

Robson encolheu os ombros novamente e disse: ''Você sempre sabe o que quer''. O rosto e a voz eram graves. Ele começou a se dirigir para a porta e então parou para perguntar: ''Tem dinheiro?''. Enfiou uma das mãos no bolso interno do paletó.

''Não quero nada'', ela lhe disse.

''Certo. Se você quiser algo mais tarde, é só dizer. Vamos, Dick.'' Foi até a porta, abriu-a, voltou a cabeça para dizer um rápido ''Obrigado, boa noite'' para Brazil e saiu.

Conroy tocou ligeiramente o antebraço de Luise Fischer com três dedos, disse-lhe ''Boa sorte'', acenou para Evelyn e Brazil e acompanhou Robson.

O cachorro levantou a cabeça para observar os dois homens saírem. A garota Evelyn olhava para a porta com olhos desesperados e esfregava as mãos. Luise Fischer disse a Brazil: ''É melhor você trancar a porta''.

Ele a olhou por um longo momento, pensativo

e, mesmo que parecesse que a expressão não havia mudado, todos os músculos da face endureceram. ''Não'', disse finalmente, ''não vou trancá-la.''

As sobrancelhas da mulher se ergueram um pouco, mas ela nada disse. A garota falou, dirigindo-se a Brazil pela primeira vez, desde a chegada de Luise Fischer. A voz era extremamente enfática. ''Estavam bêbados.''

''Andaram bebendo'', disse ele concordando. Olhou firmemente em sua direção, parecendo só então notar a sua perturbação. ''Parece que um drinque vai lhe fazer bem.''

Ela parecia confusa. Os olhos evitavam o seu olhar. ''Você — você quer um?''

''Acho que sim.'' Com um olhar de interrogação, voltou-se para Luise Fischer, que disse: ''Obrigada''.

A garota saiu do quarto. A mulher inclinou-se um pouco para a frente para poder olhar Brazil com mais intensidade. Sua voz estava bastante calma, mas a vagarosidade deliberada que empregou para falar tornava as palavras bem impressivas: ''Não caia no erro de achar que o sr. Robson não é perigoso''.

Ele parecia pesar as palavras de uma maneira sonolenta; então, olhando para ela com uma ligeira curiosidade, disse: ''Será que fiz um inimigo?''.

Ela fez que sim com a cabeça.

Ele aceitou o fato com um pálido sorriso, oferecendo-lhe cigarros novamente e perguntou: ''E você?''.

Ela dirigiu o olhar através dele, como se estivesse estudando algo muito distante, e retrucou devagar: ''Também, mas perdi um amigo pior ainda''.

Evelyn entrou, com uma bandeja com copos,

água mineral e uma garrafa de uísque. Os olhos escuros, deslocando-se do homem para a mulher, eram inquisitivos, um tanto furtivos. Ela foi até a mesa e começou a preparar os drinques.

Brazil terminou de acender o cigarro e perguntou: "Está deixando ele para sempre?"

Por um momento, enquanto o encarava soberba, parecia que a mulher não tinha intenção alguma de lhe responder; subitamente o rosto se transformou em uma expressão de mais puro ódio e ela cuspiu um venenoso "Ja!"

Ele colocou o copo sobre a lareira e foi até a porta. Fez tudo o que tinha de fazer para dar uma olhada lá fora, no meio da noite; no entanto, após ter aberto a porta apenas alguns centímetros, fechou-a em seguida — os gestos se revelavam tão pouco nervosos que pareciam indicar sua preocupação com alguma outra coisa.

Voltou-se em direção à lareira, tomou o copo e bebeu. Então, com os olhos focalizando contemplativamente o copo abaixado, ia começar a falar quando o telefone tocou por trás da porta que ficava em frente à lareira. Abriu a porta, e, assim que desapareceu, podia-se escutar sua voz rouca e impessoal. "Alô?... Sim... Sim, Nora... Espere um pouco." Entrou novamente na sala, dizendo à garota: "Nora quer falar com você". Fechou a porta do quarto atrás dela.

Luise disse: "Você não deve estar morando aqui há muito tempo, senão já teria conhecido Kane Robson antes".

"Faz um mês e pouco; mas também ele estava na Europa, até voltar, na semana passada" — fazendo uma pausa — "com você". Tomou o copo. "Por falar nisso, ele é o meu senhorio."

"Então você —" Ela interrompeu quando a porta do quarto se abriu. Evelyn estava parada, as mãos no peito, e gritava: "Meu pai vem vindo — alguém lhe telefonou, dizendo que eu estava aqui". Correu através da sala para pegar o chapéu e o casaco, que estavam na cadeira.

Brazil disse: "Espere. Vai acabar se encontrando com ele na estrada, se for agora. Você vai ter de esperar que ele chegue até aqui, para, então, sair escondida e chegar em casa, enquanto ele ficar gritando comigo. Vou deixar o seu carro no começo da estrada dos fundos." Terminou o drinque e começou a sair em direção à porta do quarto.

"Mas você não vai" — os lábios tremiam — "não vai brigar com ele? Prometa que não."

"Não vou." Entrou no quarto, voltou quase que imediatamente com um chapéu marrom na cabeça e com um dos braços enfiado em uma capa de chuva. "Volto em cinco minutos." Saiu pela porta da frente.

Luise Fischer disse: "O seu pai não aprova?"

A garota sacudiu a cabeça pesarosamente. De repente, voltou-se para a mulher, com as mãos em um gesto de súplica, os lábios — quase sem cor — movendo-se sem controle, enquanto as palavras saíam confusas de sua boca: "Você vai ficar. Não deixe eles brigarem. Não podem."

A mulher tomou as mãos da garota, colocou-as entre as suas, dizendo: "Eu vou fazer o possível, prometo".

"Ele não pode entrar em confusão de novo", a garota gemia. "Não pode!"

A porta se abriu e Brazil entrou.

"Feito", disse alegre, tirando a capa, jogando-a sobre a cadeira, colocando o chapéu encharcado por cima. "Deixei o carro no final da cerca." Pegou o copo vazio da mulher e o seu e foi até a mesa. "Melhor você ficar na cozinha, caso ele chegue de repente." Começou a colocar uísque nos copos.

A garota molhou os lábios com a língua, disse: "É, acho melhor", muito vagamente, sorrindo timidamente, suplicando para Luise Fischer, hesitou e tocou a manga com os seus dedos. "Você — você vai se comportar?"

"É claro." Ele não parou de preparar os drinques.

"Eu ligo amanhã." Sorriu para Luise Fischer e deslocou-se relutante em direção à porta.

Brazil passou o copo à mulher, tirou a cadeira do lugar para poder olhá-la de frente e sentou-se.

"A sua amiguinha", disse a mulher, "ela gosta muito de você."

Ele parecia um pouco em dúvida. "Ah, é apenas uma criança", disse.

"Mas o pai dela", sugeriu ela, "não parece ser muito simpático, não?"

"Ele não regula muito bem", disse ele muito casualmente, ficando pensativo logo em seguida. "Será que o Robson telefonou para ele?"

"E ele iria saber?"

Ele sorriu um pouco. 'Em um lugar como esse, todo mundo sabe tudo a respeito de todo mundo."

"E sobre mim", ela começou, "você —"

Ela foi interrompida por uma pancadaria na porta que quase a tirou do lugar, soando pela sala como se fosse um trovão. O cachorro aproximou-se com as pernas retesadas.

Brazil dirigiu um curto sorriso chocho à mulher e gritou: "Muito bem. Entre."

A porta foi aberta violentamente por um homem de estatura média, com uma capa preta e brilhante, que lhe vinha até o tornozelo. Um par de olhos negros, bem juntos, faiscava sob a lapela virada do chapéu cinza. Um nariz pálido e ossudo se salientava acima de uma barba e de um bigode cinzentos, cortados rente. Um dos punhos apertava firmemente um pesado bastão de macieira.

"Onde está a minha filha?", perguntou o homem. A voz pesada, poderosa, ressoante.

O rosto de Brazil era uma máscara impassível. "Como vai, Grant?", disse.

O homem na porta deu um outro passo à frente. "Onde está a minha filha?"

O cachorro rosnou e arreganhou os dentes. Luise Fischer disse: "Franz!". O cachorro olhou para ela e agitou o rabo.

Brazil disse: "A Evelyn não está aqui".

Grant olhou para ele com raiva. "Onde está?"

Brazil estava calmo. "Não sei."

"É mentira!" Os olhos de Grant dirigiram o olhar fulminante através da sala. Os nós dos dedos da mão que segurava o bastão estavam brancos. "Evelyn!", gritou.

Luise Fischer, sorrindo como se estivesse se divertindo com a fúria do homem barbudo, disse: "É verdade, Sr. Grant. Não há mais ninguém aqui."

Ele olhou-a por um breve momento, com os olhos cheios de ódio. "Ah! As palavras da rameira confirmam as do criminoso!'' A passos largos, dirigiu-se para o quarto de dormir e desapareceu no seu interior.

Brazil sorria meio sem jeito. ''Não falei? Ele não regula muito bem. Sempre se comporta assim — como um personagem de um livro de vagabundos.''

Ela sorriu para ele e disse: ''Tenha calma''.

''Estou calmo'', respondeu secamente.

Grant saiu do quarto e foi em direção à porta dos fundos, abriu-a e desapareceu.

Brazil esvaziou o copo e colocou-o no chão, ao lado da cadeira. ''Vamos ter mais foguetório quando ele voltar.''

Quando o homem barbudo voltou à sala, dirigiu-se altivamente até a porta da frente, abriu-a e, segurando o trinco com uma mão, batendo com a ponta de ferro de seu bastão com a outra, rugiu para Brazil: ''Pela última vez, estou lhe dizendo para largar a minha filha! Não vou repetir isso.'' Saiu batendo a porta.

Brazil respirou profundamente e sacudiu a cabeça. ''Maluco'', suspirou. ''Completamente maluco.''

Luise Fischer disse: ''Ele me chamou de rameira. As pessoas aqui —''

Ele não a estava escutando. Levantou da cadeira e foi pegar a capa e o chapéu. ''Vou dar uma olhada para ver se ela conseguiu se safar. Se conseguir chegar em casa antes dele, estará a salvo. Nora — a madrasta — vai tomar conta dela. Mas se ela não conseguir — não vou demorar.'' Saiu pelo caminho dos fundos.

Luise Fischer livrou-se do sapato remanescente e colocou-se de pé, testando, com o seu peso, a perna machucada. Depois de dar três passos, descobriu que a perna estava endurecida mas ainda agüentava firme. Percebeu, então, que as mãos e os braços ainda estavam sujos da estrada e, depois de uma exploração, chegou a um banheiro que dava para o quarto. Cantava bem baixinho para si mesma, enquanto se lavava e, novamente no quarto, penteou o cabelo e escovou a roupa — mas mudou de tom, impaciente, quando não conseguiu achar rouge ou batom. Estava se olhando em um grande espelho quando ouviu a porta da casa abrir.

O rosto se iluminou. "Estou aqui", gritou e entrou na sala.

Robson e Conroy estavam parados ao lado da porta.

"Então voce está aí, minha querida", disse Robson, sorrindo ante o seu ar de surpresa. Ele estava mais pálido que antes e os olhos, mais frios, mas, à parte isso, não parecia mudado. Conroy, no entanto, parecia fora de ordem; estava com a cara vermelha e, tudo indicava, bastante bêbado.

A mulher recuperou a compostura. "O que vocês querem?", perguntou secamente.

Robson olhou à sua volta. "Onde está Brazil?"

"O que vocês querem?", repetiu ela.

O seu olhar passou por ela em direção à porta do quarto, que estava aberta; sorriu meio amarelo e foi até lá. Quando voltou do quarto vazio, ela o olhou com desprezo. Conroy tinha se aproximado da lareira, onde o dinamarquês estava deitado, com os costados voltados para o fogo, observando os dois.

Robson disse: "Bem, vamos ser claros: você vai voltar para casa comigo".

Ela disse: "Não".

Ele moveu a cabeça para cima e para baixo, com um sorriso.

"Ainda não recuperei o dinheiro que investi em você." Deu um passo em sua direção.

Ela recuou até a mesa, tomando a garrafa de uísque pelo gargalo. "Não me toque!" A voz, bem como o seu rosto, estavam gelados pela fúria.

O cachorro levantou-se, rosnando.

Os olhos escuros de Robson saltaram para o lado, concentrando-se no cachorro, depois em Conroy — com uma pálpebra latejando — e depois novamente na mulher.

Conroy — sem demonstrar tensão e de maneira a não parecer furtivo, para não alarmar a mulher ou o cachorro — colocou a mão direita no bolso do casacão, tirou uma pistola preta, colocou a boca da arma bem atrás de uma das orelhas do cachorro e disparou contra a cabeça do animal. O cachorro tentou pular, caiu para o lado; as pernas se contorciam debilmente. Conroy, com um sorriso idiota, colocou a pistola de volta no bolso.

Luise Fischer voltou-se, com o barulho do tiro. Gritando para Conroy, levantou a garrafa para atirá-la. Mas Robson agarrou o seu pulso com uma das mãos, enquanto arrancava a garrafa com a outra. Sorrindo, dizia "Não, não, minha querida", com um tom de voz irônico.

Colocou a garrafa sobre a mesa, mas continuou a segurar o pulso.

As pernas do cachorro pararam de se mexer.

Robson disse: "Tudo bem. E agora, você está pronta?"

Ela não fez nenhuma tentativa para desvencilhar

o pulso. Retomou a postura e disse, com bastante seriedade: ''Meu amigo, você não me conhece se está pensando que vou sair daqui com você''.

Robson disfarçou um sorriso entre os dentes. ''E você não me conhece se pensa que não vem comigo'', disse-lhe ele.

A porta da frente se abriu, e Brazil entrou. O rosto pálido estava impassível, embora houvesse uma sombra de contrariedade nos olhos. Fechou a porta cuidadosamente atrás de si e, então, dirigiu-se aos hóspedes. A voz era de alguém que se queixava sem raiva. ''Que diabo está acontecendo?'', perguntou. ''É dia de visitas? Isto aqui é um bar de estrada?''

Robson disse: ''Nós já vamos. A Fräulein Fischer está vindo conosco.''

Brazil olhava para o cachorro morto, os olhos cor de cobre demonstrando cada vez mais contrariedade. ''Está tudo bem, se ela estiver de acordo'', disse, de maneira indiferente.

A mulher disse: ''Eu não vou''.

Brazil ainda estava olhando para o cachorro. ''Para mim está bem'', murmurou, e com mais interesse: ''Mas quem fez isso?''. Caminhou em direção ao cachorro e mexeu a sua cabeça com o pé. ''Sangue por todo lado'', resmungou.

Então, sem levantar a cabeça, sem o menor desequilíbrio ou enrijecimento do corpo, acertou o punho direito em cheio no belo e bêbado rosto de Conroy.

Conroy caiu com os joelhos dobrados, girando um pouco enquanto caía. A cabeça e o ombro bateram contra a lareira de pedra e ele tropeçou para a frente, rolando no chão sobre si mesmo, com a cara para cima.

Brazil girou rapidamente para encarar Robson.

Robson tinha largado o pulso da mulher e estava tentanto tirar uma pistola do bolso do casacão. Mas ela se precipitou sobre o seu braço, virando-o em direção ao corpo, colocando todo o seu peso sobre ele, fazendo com que não conseguisse se libertar, embora ele estivesse agarrando os cabelos dela com a outra mão.

Brazil aproximou-se por trás de Robson, agarrou-o pelo queixo com o punho, conseguindo assim deslizar o antebraço pelo pescoço do homem mais alto. Quando conseguiu firmá-lo naquele lugar, com a outra mão segurando o pulso de Robson, disse: ''Está tudo bem. Eu o agarrei.''

Luise Fischer soltou o braço do homem e caiu sobre as ancas. Com isto, a pistola subiu e, quando estava na horizontal, Robson puxou o gatilho. A bala passou entre as suas costas e o peito de Brazil, indo atingir o canto de uma prateleira de livros no outro lado da sala.

Brazil disse: ''Tente isso de novo, queridinho, e lhe quebro os braços. Largue a arma!''

Robson hesitou, deixou cair a pistola no chão. Luise Fischer se arrastou com as mãos e joelhos para poder pegá-la. Sentou-se sobre o canto da mesa, segurando a pistola com a mão.

Brazil empurrou Robson para longe dele e atravessou a sala para se colocar de joelhos ao lado do homem estendido no chão, sentindo o pulso, percorrendo com as mãos o corpo e levantando a pistola de Conroy, colocando-a no bolso traseiro das calças. Conroy mexeu uma perna; as pálpebras se moviam sonolentas e ele gemia.

Brazil apontou o dedo em sua direção e foi seco com Robson: "Pegue-o e vá embora".

Robson foi até Conroy, abaixou-se para levantar a cabeça e os ombros, sacudiu-o e disse irritado: "Vamos, Dick, acorde. Vamos embora.

Conroy resmungou, "Eu tô bem", e tentou se deitar no chão de novo.

"Levante, ande", reclamou Robson, e estapeou-lhe o rosto.

Conroy sacudiu a cabeça e resmungou: "Não quero".

Robson estapeou aquele rosto louro de novo. "Ande, levante, seu verme."

Conroy reclamou e resmungou algo ininteligível.

Brazil, impaciente, disse: "Tire ele daqui de qualquer maneira. A chuva vai reanimá-lo".

Robson ia falar algo, mudou de idéia, levantou o chapéu do chão, colocou-o e debruçou-se sobre o homem louro, mais uma vez. Puxou-o para cima até que estivesse mais ou menos sentado, colocou o braço inerte sobre o ombro, colocou uma mão por trás de Conroy e sob a axila e levantou-o, colocando-o ao seu lado, ainda com as pernas bambas.

Brazil mantinha a porta da frente aberta. Meio puxando, meio carregando Conroy, Robson saiu.

Brazil fechou a porta, encostou-se nela e sacudiu a cabeça com um gesto de falsa resignação.

Luise Fischer colocou a pistola de Robson na mesa e levantou-se. "Desculpe", disse, grave. "Não tive a intenção de colocá-lo nesse".

Ele a interrompeu sem demonstrar preocupação: "Está tudo bem". Havia um pouco de azedume no sorriso, embora o tom continuasse o mesmo. "Aqui é sempre assim. Meu Deus! Preciso de um drinque."

Ela voltou-se rapidamente para a mesa e começou a encher os copos.

Ele a olhou de cima para baixo, pensativo, tomou um gole e perguntou: "Você saiu assim?"

Ela olhou para as suas roupas e acenou afirmativamente com a cabeça.

Ele parecia achar engraçado. "O que você vai fazer?"

"Quando chegar à cidade? Vou vender isso" — moveu as mãos para indicar os anéis — "e depois — não sei."

"Você quer dizer que está sem dinheiro algum?", perguntou ele.

"Sim ", respondeu secamente.

"Nem mesmo para a passagem?"

Ela confirmou com a cabeça que não, levantou um pouco as sombrancelhas; sua calma era quase insolente. "Com certeza é uma soma pequena que você poderá me emprestar."

"Claro", disse ele, e riu. "Mas você é um número."

Ela não parecia entender o que ele queria dizer.

Ele bebeu novamente, depois inclinou-se para a frente. "Escute, vai ficar meio esquisito viajar no trem desse jeito." Apontou para a saia. "E se eu levá-la até uns amigos com quem você ficaria, até conseguir algumas de suas roupas?"

Ela estudou cuidadosamente o seu rosto antes de responder. "Se não for muito trabalho para você."

"Então estamos combinados", disse ele. "Quer tirar uma soneca antes?"

Ele esvaziou o copo e foi até a porta da frente, onde fingiu dar uma olhada na noite lá fora.

Quando voltou da porta, capturou a sua expressão, embora ela, mais do que rapidamente, tenha deixado de franzir as sombrancelhas. O sorriso, a voz, eram ironicamente apologéticos: "É mais forte do que eu. Conseguiram me botar fora de circulação por algum tempo — isto é, na cadeia— e, desde então, isso me acontece. Tenho de tomar cuidado para não voltar a ser preso." O sorriso tornou-se mais retorcido. "Existe um nome para isso — claustrofobia — e isso não torna as coisas mais fáceis."

"Sinto muito", disse ela. "Foi há muito tempo?"

"Faz muito tempo que entrei lá", disse secamente, "mas faz apenas algumas semanas que saí. Por isso vim para cá — procurar me encontrar, saber o que quero fazer."

"E então?", disse ela, suavemente.

"E então o quê? Se consegui o que vim procurar, se sei o que vou fazer? Não sei." Estava parado à sua frente, mãos nos bolsos, olhando-a com ar ameaçador. "Acho que estava esperando que alguma coisa acontecesse, algo que me indicaria que direção tomar. Bem, quem apareceu foi você. É o suficiente. Vou com você."

Retirou as mãos dos bolsos, abaixou-se, levantou-a e beijou-a selvagemente.

Por um momento ela não fez movimento algum. Então se torceu para fora de seus braços e esbofeteou-lhe o rosto com os dedos curvados. Estava pálida de raiva.

Ele tomou sua mão, abaixou-a calmamente e olhou-a com ar ameaçador. "Pare com isso. Se você não quer, não quer e pronto."

"É exatamente isso", disse furiosa.

"Tudo bem." O rosto não havia mudado, muito menos a voz.

Então ela disse: "Aquele homem — o pai da sua garota — disse que eu era uma rameira. As pessoas por aqui falam muito de mim?"

Ele assumiu um ar suplicante. "Você sabe como é. Os Robsons foram sempre grandes proprietários, a elite local, durante gerações, e qualquer coisa que façam vira notícia. Todos sabem tudo a respeito deles, e então".

"E o que falam sobre mim?"

Ele sorriu. "O pior, é claro. O que você esperava? Eles o conhecem."

"E o que você acha?"

"Sobre você?"

Ela confirmou com a cabeça. Os olhos estavam cravados nele.

"Não é de meu feitio sair por aí perguntando para as pessoas", disse, "só não entendi por que você se juntou a ele. Deve ter visto que espécie de rato que ele era."

"Não percebi isso", disse ela simplesmente. "E estava perdida em um vilarejo na Suíça."

"Atriz?"

"Cantora."

O telefone tocou.

Sem pressa, ele foi até o quarto. A voz, sem emoção alguma, surgiu: "Alô? ...Sim, Evelyn...Sim." Uma pausa longa. "Sim; claro e muito obrigado."

Retornou à sala tão calmamente como tinha saído, mas, quando o viu, Luise Fischer fez questão de se levantar da mesa. A sua cara estava meio amarelada, lustrosa, com o suor na testa e nas têmporas, e o cigarro, entre os dedos da mão direita, estava amassado e partido.

"Era Evelyn. O seu pai é juiz de paz. Conroy fraturou o crânio — está morrendo. Robson acabou de telefonar, avisando que ele vai expedir um mandado. Aquela maldita lareira. Não vou passar mais tempo em uma cela!"

A polícia aperta o cerco

Luise veio até ele com as mãos estendidas. "A culpa não é sua. Eles não podem."

"Você não entendeu", disse, com a voz monótona. Afastou-se dela em direção à porta da frente, andando mecanicamente. "Foi assim que me pegaram na outra vez. Foi uma confusão entre bêbados em um bar de estrada, com garrafadas e tudo, e um sujeito morreu. Não dava para dizer que eles estavam errados quando me culparam daquilo." Abriu a porta, fez como se pretendesse olhar para fora, fechou a porta e voltou-se para ela."

"Foi homicídio aquela vez. Vão transformar isto em assassinato se esse aí morrer. Entendeu? E estou fichado como assassino." Levou a mão ao queixo. "Está ficando sufocante."

"Não, não." Foi para perto dele e tomou-lhe a mão. "Foi por um acidente que ele bateu a cabeça na lareira. Posso confirmar isso. Posso dizer o que causou tudo isso. Não podem-"

Ele deu uma risada amarga e repetiu o que Grant tinha dito: "A palavra da rameira confirma a do criminoso".

Ela se retraiu.

"É isso o que vão fazer comigo", disse, agora menos monótono. "Se ele vier a morrer, não tenho chance alguma. Se ele não morrer, vão me segurar sem direito à fiança até chegarem a uma conclusão — agressão com intenção de matar. De que vai adiantar você dizer alguma coisa? A amante de Robson, que o largou para ficar comigo? Se disser a verdade, talvez piore tudo. Eles me pegaram" - a voz subiu - "e não vou para uma cela mais uma vez!" Os olhos moveram-se rapidamente em direção à porta. Levantou, então, a cabeça com um barulho áspero, que vinha da garganta, como se fosse uma risada. "Vamos sair daqui. Vou enlouquecer se continuar aqui dentro."

"Sim", disse ela com sofreguidão, colocando a mão nos seus ombros, olhando o seu rosto com um olhar meio assustado, meio de compaixão. "Vamos."

"Você precisa de um casaco." Entrou no quarto.

Ela encontrou os sapatos, colocou o pé direito e segurou o pé esquerdo para mostrar-lhe quando retornasse. "Dá para tirar o salto?"

Ele colocou o casacão marrom que carregava sobre os ombros, pegou o sapato e tirou o salto com apenas um puxão. Já estava na porta da frente, enquanto ela terminava de colocar o sapato.

Deu uma olhada pelo quarto e saiu atrás dele...

Ela abriu os olhos e percebeu que já havia amanhecido. A chuva tinha parado de cair no pára-brisa e nos vidros do carro, e o limpador já não estava funcionando. Sem se mover, olhou para Brazil. Estava sentado, meio afundado e relaxado no banco, ao seu lado, uma mão no volante, a outra no joelho, segurando um cigarro. O rosto pálido estava tranqüilo e não demonstrava cansaço. Os olhos estavam pregados na estrada à sua frente.

"Dormi muito?", perguntou ela.

Ele sorriu. "Uma hora, desta vez. Sente-se melhor?" Levantou a mão que segurava o cigarro para desligar os faróis.

"Sim." Ela se sentou direito, bocejando. "Vamos levar muito tempo ainda?"

"Uma hora e pouco." Colocou a mão no bolso e ofereceu os cigarros.

Ela tirou um e se inclinou para a frente para acionar o acendedor do painel. "O que vai fazer?", perguntou, quando o cigarro já estava aceso.

"Vou me esconder até resolver o que fazer."

Olhou-o de lado e disse: "Você também está se sentindo melhor".

Sorriu, um pouco envergonhado. "Perdi a cabeça lá, isso sim."

Ela tocou as costas de sua mão uma vez, gentilmente, e continuram a viagem em silêncio, durante um bom tempo. Então ela perguntou: "Estamos indo para a casa daqueles amigos de quem você tinha falado?"

"Sim."

Um coupé escuro, vindo na direção contrária, com dois policiais uniformizados, passou por eles.

A mulher fitou Brazil com um olhar agudo. O rosto dele não demonstrava expressão alguma.

Ela tocou-lhe a mão novamente, como que aprovando.

"Fora me sinto bem", explicou ele. "As paredes me matam."

Ela voltou a cabeça para olhar para trás. O carro dos policiais já estava fora do alcance da vista.

Brazil disse: "Não significavam coisa alguma". Baixou o vidro do seu lado e jogou o cigarro fora. Um ar fresco e úmido entrou no carro. "Quer parar para um café?"

"Será que devemos?"

Um automóvel passou por eles, empurrando-os para o lado, ao passar em grande velocidade. Era um sedan preto a mais de cem quilômetros por hora. Nele estavam quatro homens, um dos quais virou-se para olhar o carro de Brazil.

Brazil disse: "Talvez seja mais seguro procurarmos abrigo o quanto antes; mas se você estiver com fome".

"Não; também acho que devíamos nos apressar."

O sedan preto sumiu em uma curva da estrada.

"Se a polícia o encontrar, você" — ela hesitou — "você vai lutar?"

"Não sei", disse melancólico. "É isso que acontece comigo. Nunca sei o que vou fazer em seguida". Perdeu um pouco da melancolia. "Não adianta se preocupar. Tudo vai dar certo."

Passaram por um vilarejo com umas doze casas, atravessaram, aos solavancos, os trilhos da estrada de ferro e entraram por um caminho, longo e reto, paralelo aos trilhos. Na metade do caminho o sedan que os havia ultrapassado estava estacionado no acostamento da estrada. Um policial estava parado ao seu lado — entre o carro e a sua motocicleta — e escrevia, imperturbável, em uma folha de um bloco, enquanto o homem que estava ao volante do sedan falava e gesticulava perturbado.

Luise Fischer respirou fundo e disse: "Bem, estes não eram da polícia".

Brazil sorriu.

Nenhum dos dois falou novamente até chegarem a uma rua de subúrbio. Ela disse, então: "Eles — os seus amigos — não vão estranhar quando chegarmos desta maneira?"

"Não", respondeu, sem muita preocupação; "eles também já passaram por muitas coisas."

As casas ao longo daquela rua de subúrbio tornavam-se mais pobres e miseráveis, e agora já estavam em uma rua com prédios feios, com placas de "Aluga-se" nas janelas, em meio a fábricas e armazéns igualmente de aspecto horrível. A rua pela qual Brazil entrou, depois de rodar mais um pouco, era apenas um pouco menos escura, com o mesmo número de placas de aluguel. Parou o carro na frente de um prédio de quatro andares, de tijolos vermelhos, com os degraus da escada quebrados. "Chegamos", disse, abrindo a porta.

Permaneceu sentada, olhando para a fachada nada convidativa do prédio, até ele dar a volta e abrir a porta do seu lado. A expressão do rosto era indecifrável. Três crianças sujas pararam de brincar com a armação de um guarda-chuva para olhá-la, assim que começou a subir com ele os degraus quebrados.

A porta da rua abriu-se quando ele girou o trinco, deixando-os entrar em um corredor abafado, onde uma luz opaca iluminava um papel de parede manchado, com estampas que já foram mais vivas, um carpete esfarrapado e uma escada com um corrimão de metal gasto.

"Mais um andar", disse ele, subindo as escadas atrás dela.

Bem em frente à escada, havia uma porta brilhando com uma tinta fresca de um marrom muito especial, sem lembrar nenhuma das madeiras conhecidas. Brazil dirigiu-se até essa porta e deu quatro toques na campainha — longo, curto, longo, curto. A campainha ressoou forte do outro lado da porta.

Depois de um momento de silêncio, vagos sons de murmúrios atravessaram a porta, seguidos de uma cautelosa voz masculina: "Quem é?"

Brazil colocou a cabeça mais perto da porta e em voz baixa: "Brazil".

O ferrolho da porta gemeu e ela se abriu, aparecendo um homem louro, resistente, de aproximadamente quarenta anos, de pijama verde de algodão, todo amassado. Estava descalço. O rosto pálido e anguloso estampava um sorriso cordial e a voz também era cordial. "Entre, garoto", disse. "Entre." Os olhos, pequenos e pálidos, mediram Luise Fischer da cabeça aos pés, enquanto se afastava para dar passagem aos dois.

Brazil colocou a mão no braço da mulher e a fez andar para a frente, dizendo: "Senhorita Fischer, este é o Senhor Link".

Link disse: "Muito prazer", e fechou a porta atrás deles.

Luise Fischer curvou-se.

Link deu um tapa no ombro de Brazil. "Estou contente em vê-lo, garoto. Estávamos pensando sobre o que teria acontecido com você. Vamos, entre."

Levou-os até uma sala que precisava ser arejada. Havia roupa espalhada pelo chão, folhas de jornal aqui e ali, alguns copos meio cheios e xícaras de café, e muitas pontas de cigarros. Link tirou um paletó que estava sobre a cadeira, jogou-o sobre uma outra e disse: "Tire as suas coisas e sente-se, Senhorita Fischer".

Uma mulher loura, cheia de corpo, com seus vinte e poucos anos, disse: "Meu Deus, olhe quem está aqui!"; da porta, correu até Brazil com os braços abertos, abraçou-o violentamente e beijou-o na boca. Vestia um robe rosa por sobre uma camisola de seda rosa e chinelos verdes, enfeitados com plumas amarelas.

Brazil disse: "Olá, Fan", e abraçou-a. Então, voltando-se para Luise Fischer, que tinha tirado o casaco: "Fan, esta é a Senhorita Fischer, Senhora Link".

Fan dirigiu-se a Luise Fischer com a mão estendida. "Prazer em conhecê-la", disse ela, apertando suas mãos calorosamente. "Parecem cansados. Sentem-se e eu vou preparar um café, e talvez Donny lhe prepare um drinque, depois de cobrir sua nudez."

Luise Fischer disse: "Muito gentil da sua parte", e sentou-se.

Link disse: "Claro, claro", e saiu.

Fan perguntou: "Não dormiram nada, não é?".

"Sim", disse Brazil. "Dirigimos a noite toda." Sentou-se no sofá.

Ela voltou-se para Brazil com um olhar penetrante. "Alguma coisa que você queira me contar de bom grado?"

Ele confirmou. "Foi para isso que viemos."

Link, agora com um robe e chinelos, entrou com uma garrafa de uísque e alguns copos.

Brazil disse: "O negócio é o seguinte: esmurrei um sujeito ontem à noite, que não voltou a se levantar".

"É grave?"

Brazil com a boca torcida: "Talvez esteja morrendo".

Link assobiou, disse: "Quando você acerta alguém, garoto, esse alguém dificilmente levanta".

"Ele bateu com a cabeça na lareira", explicou Brazil. Abriu uma carranca para Link.

Fan disse: "Bem, não tem sentido ficar se preocupando com isso agora. O que tem a fazer é forrar o estômago e descansar um pouco. Vamos, Donny, despeje um pouco dessa bebida." Ela concentrou-se em Luise Fischer. "Fique quieta aí que vou preparar algo em um minuto." Saiu rapidamente da sala.

Link, servindo uísque, perguntou: "Alguém viu?"

Brazil fez que sim com a cabeça. "Ah — ah — as pessoas erradas." Suspirou com pesar. "Queria sair de circulação por um tempo, Donny, até saber no que vai dar."

"Este pardieiro é todo seu", disse Link. Levou copos de uísque para Luise Fischer e Brazil. Ele olhava para a mulher sempre que esta não estava olhando. Brazil esvaziou o copo de um só gole.

Luise Fischer tomou um pouco e tossiu.

"Quer algo mais fraco?", perguntou Link.

"Não, obrigada", disse ela. "Isso está bom. Eu me resfriei com a chuva."

Ela segurava o copo na mão, mas não bebeu mais.

Brazil disse: "Deixei o carro aí na frente. Tenho de fazê-lo desaparecer."

"Cuido disso, garoto", prometeu Link.

"Eu queria alguém que fosse ver o que está acontecendo em Mile Valley."

Link balançava a cabeça para cima e para baixo. "Harry Klaus é a pessoa ideal para isso. Vou chamá-lo."

"E gostaríamos de trocar de roupa."

Luise Fischer falou: "Primeiro tenho de vender estes anéis".

Os olhos pálidos de Link brilharam. Molhou os lábios e disse: "Conheço-a".

"Isso pode esperar", disse Brazil. "Não é mercadoria quente, Donny. Não vai precisar de receptador."

Donny parecia desapontado.

A mulher disse: "Mas não tenho dinheiro para as roupas se não —". Brazil disse: "Temos o bastante para isso".

Donny, olhando para a mulher, dirigiu-se a Brazil: "E você sabe que sempre vou poder arrumar algum para você, garoto".

"Obrigado. Veremos." Brazil estendeu o copo vazio e, depois que este estava cheio, disse: "Esconda o carro, Donny".

"Certo." O homem louro foi até o telefone, em uma alcova, e discou um número.

Brazil esvaziou o copo. "Cansada?", perguntou.

Ela levantou-se, foi até ele, tirou o copo de uísque de sua mão e colocou-o na mesa junto com o seu, que ainda estava quase cheio.

Ele deu uma risada entre os dentes, perguntou: "Muitos problemas com bêbados na noite passada, não?"

"Sim", respondeu ela, sem sorrir, e voltou à sua cadeira.

Donny estava falando ao telefone: "Alô, Duke?... Escute, aqui é o Donny. Tem um carro em frente de casa." Descreveu o carro de Brazil. "Dá para desaparecer com ele?... Sim... Melhor trocar as placas também.Certo, agora mesmo, tudo bem? ...Certo." Colocou o fone no gancho e retornou até onde estavam os outros, dizendo: "Voilà!"

"Donny!" Fan estava chamando de algum lugar do apartamento.

"Já vou!" Saiu.

Brazil inclinou-se em direção a Luise Fischer e falou bem baixinho: "Não lhe dê anéis".

Ela olhou-o surpresa. "Mas por quê?"

"Ele vai tentar trapacear."

"Quer dizer que ele vai tentar me enganar?"

Ele confirmou, sorrindo.

"Mas você disse que ele é seu amigo. Você está nas mãos dele agora."

"Ele é confiável em um negócio como esse", assegurou. "Ele não é de entregar ninguém. Mas, quando se trata de grana, é diferente. Mesmo que não depenasse você, qualquer um a quem fosse vender as jóias pensaria que elas foram roubadas e você não conseguiria nem a metade do que valem."

"Então ele é um", ela hesitou.

"Um bandido. Fomos companheiros de cela durante um tempo."

Ela franziu o cenho e disse: "Não estou gostando disso".

Fan veio até a porta, sorrindo, e disse: "O café está servido".

No corredor, Brazil voltou-se e tentou ir até a porta da frente, mas acabou desistindo quando percebeu o olhar de Luise Fischer e, sorrindo amarelo, seguiu as duas mulheres até a sala de jantar.

Fan não iria se sentar com eles. "Não consigo comer nada tão cedo," disse a Luise Fischer. "Vou lhe preparar um banho quente e arrumar a cama, pois sei que você está cansada, e eu mesma vou voltar para a cama, assim que terminar com tudo."

Saiu, não prestando atenção às demonstrações de agradecimento de Luise Fischer.

Donny enfiou um garfo em uma pequena salsicha e disse: "Agora, quanto aos anéis. Posso-"

"Isso pode esperar", disse Brazil. "Temos o suficiente por enquanto."

"Talvez; mas é sempre bom ter algum de reserva caso precise de repente." Donny colocou a salsicha na boca. "E você não deve ter tanto assim."

Mastigou vigorosamente. "Agora, por exemplo, você se lembra do caso de Shuffling Ben Davin. Lembra do Ben? Ele ficava na marcenaria. Lembra? O sujeito grande com aquela perna?"

"Lembro", respondeu Brazil sem muito entusiasmo. Donny agarrou uma outra salsicha. "Bem, o Ben estava em um lugar chamado Finehaven uma vez e —"

"Que eu me lembre, ele estava atrás das grades quando o conhecemos", disse Brazil.

"Certo; é isso que estou querendo dizer. Tudo estava por conta de Ben quando —"

Fan entrou. "Está tudo pronto", disse para Luise Fischer.

Luise Fischer colocou a xícara na mesa e levantou. "O café está ótimo", disse, "mas estou muito cansada e não consigo comer muito".

Enquanto deixava a sala, Donny começava a sua história de novo: "Tudo estava por conta de—".

Fan levou-a para o quarto nos fundos do apartamento, que tinha uma larga cama de madeira, com uma suave colcha branca. Uma camisola branca e robe vermelho estavam sobre a cama. No chão, um par de chinelos. A mulher loura parou na porta e fez um gesto com a mão rosada. "Se precisar de algo mais, é só dizer. O banheiro fica do outro lado do corredor e já coloquei a água para correr."

"Obrigada", disse Luise Fischer; "você é muito gentil. Estou lhe obrigando a —" Fan deu um tapinha no seu ombro. "Nenhum amigo de Brazil pode me obrigar a nada, querida. Agora vá tomar o seu banho e descanse bem, e se houver algo que você queira, é só gritar." Ela saiu e fechou a porta.

Luise Fischer, parada perto da porta, olhou devagar e com cuidado através daquele quarto ordinário e, então, andando em direção à cama, começou a tirar a roupa. Quando terminou, vestiu o robe vermelho e os chinelos e, carregando a camisola por sobre o braço, cruzou o corredor em direção ao banheiro. O banheiro estava aquecido com o vapor. Abriu a torneira de água fria da banheira, enquanto tirava os curativos do joelho e do tornozelo.

Depois do banho, encontrou gaze no armário acima da pia e enfaixou o joelho, mas não o tornozelo. Colocou, então, a camisola, o robe e os chinelos e voltou ao quarto. Brazil estava lá, parado, com as costas para ela, olhando para fora da janela.

Não se voltou. A fumaça do cigarro se deslocava no ar, passando por sua cabeça.

Ela fechou a porta devagar e encostou-se nela,

um ligeiro sorriso de desdém nos lábios em movimento.

Ele não se moveu.

Ela foi indo devagar até à cama e sentou-se no lado mais afastado dele. Não olhava para ele, mas para o quadro de um cavalo na parede. O rosto demonstrava orgulho e frieza. Disse: "Sou o que sou, mas pago as minhas dívidas". Desta vez, a deliberada calma da voz era pura insolência. "Eu lhe causei toda essa encrenca. Bem, agora pode fazer o que quiser comigo —" estremeceu.

Ele voltou-se da janela sem nenhuma pressa. Os olhos cor de cobre, o rosto, não demonstravam emoção alguma. Disse: "Está bem". Apagou o cigarro no cinzeiro sobre a mesa e deu a volta na cama para chegar até onde ela estava.

Estava de pé, firme e altiva, esperando por ele.

Parou perto dela por um momento, olhando-a com olhos que mesuravam a sua beleza tão impessoalmente como se fosse algo inanimado. De repente, puxou bruscamente a sua cabeça para trás e beijou-a.

Dela não saía nenhum som ou movimento, submetendo-se completamente às carícias e, quando a soltou e deu um passo para trás, o seu rosto permanecia inalterado, como uma máscara, como o rosto dele.

Sacudiu a cabeça devagar. "Não, você não está desempenhando bem." De repente, os olhos estavam em fogo, e ela, em seus braços; ela se apoiava nele e ria suavemente, enquanto ele lhe beijava a boca, a face, os olhos e a testa.

Donny abriu a porta e entrou. Olhou maliciosamente os dois, enquanto se separavam, e disse: "Acabei de falar com Klaus. Ele vem para cá assim que terminar o seu café."

"Certo", disse Brazil.

Donny, ainda olhando de soslaio, afastou-se, fechando a porta.

"Quem é esse Klaus?", perguntou Luise Fischer.

"Advogado", respondeu Brazil, meio ausente. Estava olhando com uma expressão de mau humor para o chão. "Acho que ele é a nossa saída, embora tenha ouvido coisas sobre ele que —", interrompeu impaciente. "Quando você está em apuros, o negócio é arriscar." O mau humor cresceu. "E o melhor que você pode esperar pode ser também o pior."

Ela tomou a sua mão e disse, de maneira sincera: "Vamos embora daqui. Não gosto dessa gente. Não confio neles."

O rosto se desanuviou e ele abraçou-a de novo, mas a sua atenção voltou-se abruptamente para a porta, quando uma campainha soou ao longe.

Fez-se silêncio; e então, a voz cautelosa de Donny pôde ser ouvida perguntando: "Quem é?"

Não dava para escutar a resposta.

Donny levantou um pouco a voz: "Quem?"

Não se ouviu nada por algum tempo. O silêncio foi interrompido pelo estalo do soalho em frente à porta do quarto. Donny abriu a porta. O rosto atormentado era uma caricatura de um estado de alerta. "Polícia", murmurou. "Saia pela janela." Estava inchado de tanta importância.

Brazil voltou-se ligeiro para Luise Fischer.

"Vá!", ela gritou, empurrando-o em direção à janela. "Comigo estará tudo bem."

"Claro", disse Donny. "Fan e eu vamos tomar

conta dela. Vá, garoto, e mande uma mensagem quando puder. Tem grana suficiente?''

''Ah-ha.'' Brazil beijava Luise Fischer.

''Vai, vai!'', disse ela ofegante.

O rosto pálido estava fleumático. Foi lacônico. ''Até mais'', disse, levantando a vidraça. O pé já estava sobre o parapeito, quando acabou de levantar por completo a vidraça. O outro pé seguiu o primeiro imediatamente e, fazendo um movimento com o peito, começou a descer, sorrindo alegremente para Luise Fischer, por um instante, antes de desaparecer de vista.

Ela correu para a janela e olhou para baixo. Ele estava se levantando no meio do mato, que crescia no pátio mal cuidado. A cabeça movia-se rapidamente da direita para a esquerda. Movendo-se com uma presteza que parecia mais uma determinação, dirigiu-se para a cerca do lado esquerdo, pulou por cima dela e foi cair no pátio vizinho.

Donny tomou o seu braço e afastou-a da janela. ''Saia daí. Só vai denunciá-lo assim. Ele está bem, mas que Jesus ajude o guarda que encontrá-lo pelo caminho — se estiverem perto.''

Uma forte pancada era ouvida na porta da frente do apartamento. Uma voz pesada, autoritária, fazia-se ouvir: ''Abra a porta!''

Donny olhou com desprezo na direção da porta da frente. ''Acho melhor deixá-los entrar ou vão deixar a minha porta em palitos.'' Parecia estar se divertindo com a situação.

Ela olhou-o com os olhos vazios.

Voltou os olhos para ela, olhou para o chão e novamente para ela, e disse, na defensiva: ''Olhe — adoro esse sujeito. Adoro!''

O barulho na porta da frente tornou-se maior.

"Acho melhor", disse Donny, e saiu.

Através da janela aberta, ouviu-se um tiro. Ela correu para a janela e, com as mãos no parapeito, inclinou-se para fora.

A uns quinze metros para a esquerda, no alto da cerca que dividia a longa seqüência de pátios do beco dos fundos, Brazil estava se equilibrando, meio agachado. Quando Luise Fischer foi olhar, ouviu-se um outro tiro e Brazil caiu, fora de vista, na direção do beco que ficava atrás da cerca. Segurou a respiração com um soluço.

As batidas na porta da frente do apartamento pararam de repente. Voltou a cabeça para dentro. Tirou as mãos do parapeito. O rosto era de um autômato. Fechou a janela sem se dar conta do que estava fazendo, e estava parada no centro do quarto, olhando criticamente as unhas, quando um homem de expressão cansada, com roupas amarfanhadas, apareceu na porta.

Perguntou: "Onde ele está?".

Olhou para ele, desviando os olhos das unhas, e fixou-o como antes tinha feito com as unhas. "Quem?"

Ele deu um suspiro de mau humor. "Brazil." Foi até a porta do armário, abrindo-a. "É a Fischer?" Fechou a porta e foi até a janela, olhando ao redor do quarto — não para ela — aparentemente com pouco interesse.

"Sou Luise Fischer", disse às suas costas.

Ele abriu a janela e olhou para fora. "O que é que há, Tom?", gritou para alguém lá embaixo. Qualquer que
fosse a resposta, não dava para ouvir dentro do quarto.

Luise Fischer mudou totalmente o seu ar obsequioso, enquanto ele voltava-se para ela. ''Ainda não tomei café'', disse ele.

A voz de Donny atravessou a porta, vindo de um outro canto do apartamento: ''Estou lhe dizendo que não sei para onde ele foi. Ele apenas deixou a madame e sumiu. Não me disse nada. Ele —''

Uma voz metálica disse: ''Aposto que sim!'', de uma maneira desagradável. Ouviu-se o som de uma pancada.

A voz de Donny: ''Mesmo se soubesse, não iria lhe dizer nada, seu grande miserável! Pode me bater de novo.''

A voz metálica: ''Se é isso que quer''. Ouviu-se o som de outra pancada.

A voz de Fan, áspera de tanta raiva, gritou: ''Pare com isso, seu —'', e parou bruscamente.

O homem imenso veio até à porta do quarto e gritou em direção à frente do apartamento: ''Deixa estar, Ray''. Dirigindo-se para Luise Fischer: ''Ponha sua roupa''.

''Por quê?'', perguntou friamente.

''Eles a querem de volta em Mile Valley.''

''Para quê?'' Parecia não acreditar que aquilo tudo fosse verdade.

''Não sei'', resmungou impaciente. ''Não tenho nada a ver com isso. Apenas estamos levando você até eles. É alguma coisa relacionada a uns anéis que pertenciam à mãe de um sujeito e desapareceram da casa, ao mesmo tempo que você.''

Ela levantou as mãos e olhou fixamente os anéis. ''Mas não é isso. Ele comprou os anéis em Paris para mim e —''

O homem imenso franziu a testa penosamente. ''Olhe, não discuta comigo. Não tenho nada a ver com isso. Aonde aquele sujeito, Brazil, estava com intenção de ir, quando saiu daqui?''

''Não sei.'' Deu um passo à frente, com os braços em uma posição de súplica. ''Será que ele está —''

''Nunca sabem nada'', reclamou, ignorando a pergunta que tinha interrompido. ''Vista-se.'' Estendeu a mão para ela. ''Melhor tomar conta dessa porcaria.''

Ela hesitou, depois tirou os anéis dos dedos e colocou-os na sua mão.

''Mexa-se'', disse. ''Ainda não tomei café.'' Saiu e fechou a porta.

Ela vestiu apressadamente as roupas que tinha tirado há pouco sem, contudo, colocar novamente a meia que tinha rasgado na casa de Brazil. Quando terminou, foi, quieta e olhando sempre para a porta fechada, até a janela e começou, devagar e com cautela, a levantar a vidraça.

O imenso homem de cara cansada abriu a porta. ''Foi uma boa idéia ficar espiando pelo buraco da fechadura'', disse pacientemente. ''Agora vamos.'' Fan entrou no quarto, atrás dele. As faces estavam rosadas; a voz áspera. ''O que é que ela tem a ver com isso?'', perguntou. ''Ela não fez nada. Por que não —''

''Pare, pare com isso'', o homem imenso pediu. O seu cansaço parecia que tinha se tornado insuportável. ''Sou apenas um policial encarregado de detêla, por uma acusação de furto. Não tenho nada a ver com isso, não sei de nada.''

''Está tudo bem, Senhora Link'', disse Luise Fischer com dignidade. ''Vai ficar tudo bem.''

''Mas você não pode ir assim'', protestou Fan e

voltou-se para o homem imenso. "Tem de deixá-la vestir umas roupas decentes."

Ele suspirou e concordou: "Qualquer coisa, contanto que seja depressa e que pare de discutir comigo".

Fan saiu apressada.

Luise Fischer voltou-se para o homem imenso. "Ele também está sendo acusado de furto?"

Ele suspirou. "Talvez sim, talvez de uma outra coisa", disse, sem muita emoção.

Ela disse: "Mas ele não fez nada. Bem, eu também não", reclamou.

Fan entrou com algumas roupas, um conjunto azul e chapéu, sapatos pretos, meias e uma blusa branca.

"Deixe a porta aberta", disse o homem imenso. Saiu do quarto e encostou-se na parede do outro lado, de onde podia ver as janelas do quarto de dormir.

Luise Fischer trocou a roupa com a ajuda de Fan, em um canto do quarto onde ele não podia enxergar.

"Eles o pegaram?", murmurou Fan.

"Não sei."

"Acho que não conseguiram."

"Espero que não."

Fan estava ajoelhada na frente de Luise Fischer, colocando as meias. "Não fale nada antes de ver Harry Klaus", murmurou rapidamente. "Diga que é o seu advogado e que você tem de vê-lo. Vamos mandá-lo até lá e ele vai tirar você dessa." Olhou para cima precipitadamente. "Você não os afanou?"

"Se roubei os anéis?", Luise Fischer perguntou surpresa.

"Achei que não", disse a loura. "Então você não vai ter de —"

A voz mal-humorada do homem imenso chegou até elas: "Vamos — chega de conversa fiada e coloque logo os trapos".

Fan disse: "Não chateia".

Luise Fischer levou o chapéu emprestado até o espelho e colocou-o; depois, ajustando a roupa, olhou para o próprio reflexo. As roupas até que não tinham ficado tão mal nela, ao contrário do que havia pensado.

Fan disse: "Ficaram muito bem em você".

O homem do lado de fora disse: "Vamos".

Luise Fischer virou-se para Fan. "Adeus, e eu —"

A loura abraçou-a. "Não precisa dizer nada; você vai estar de volta em algumas horas. Harry vai mostrar a esses energúmenos que não podem tratá-la assim."

O homem imenso disse: "Vamos".

Luise Fischer juntou-se a eles e foram todos até a frente do apartamento.

Quando passaram pela porta do living, Donny, levantando do sofá, gritou alegre: "Não deixe que façam nada com você, benzinho. Vamos —"

Um homem alto, de marrom, colocou a mão sobre o rosto de Donny e afundou-o de volta no sofá.

Luise Fischer e o homem imenso saíram. Um automóvel do departamento de polícia estava parado na frente da casa onde Brazil tinha deixado o coupé. Uma dúzia ou mais de adultos e crianças estavam parados em volta dele, olhando de maneira solene para a porta por onde ela tinha passado.

Um policial de uniforme empurrou alguns deles

para o lado para dar passagem a ela e ao seu companheiro, e entrou no carro atrás deles. "Vamos embora, Tom", disse ele para o chofer, e saíram com o carro.

O homem imenso fechou os olhos e soltou um queixume suave. "Deus, como estou *schwach!*"

Rodaram por sete quadras e pararam em frente a um prédio quadrado, de tijolos vermelhos, numa esquina. O homem imenso ajudou-a a sair do automóvel e levou-a, por entre dois grandes globos congelados, para dentro do prédio, para uma sala onde um homem gordo e calvo, de uniforme, estava sentado atrás de uma mesa alta.

O homem imenso disse: "É a Luise Fischer para Mile Valley". Tirou a mão de um bolso e jogou os anéis na mesa. "Aí está o material, acho."

O homem calvo disse: "Bom trabalho. Pegou o sujeito?".

"Hospital, acho."

Luise Fischer voltou-se para ele: "Ele está — ele está muito ferido?".

O homem imenso resmungou: "Não sei de nada. E eu posso adivinhar?"

O homem calvo gritou: "Luke!"

Um policial magro, com um bigode branco, entrou.

O homem gordo disse: "Coloque-a na suíte real".

Luise Fischer disse: "Quero falar com o meu advogado".

Os três homens olharam sem pestanejar para ela.

"O seu nome é Harry Klaus", disse. "Quero falar com ele."

Luke disse: "Vamos por aqui."

Ela seguiu-o por um corredor até o final, onde ele abriu uma porta e postou-se de lado para que ela passasse. O quarto para o qual dava a porta era pequeno, com uma cama, uma mesa, duas cadeiras e algumas revistas. A janela era grande, com grades pesadas.

No meio do quarto, ela voltou-se para dizer de novo: "Gostaria de falar com o meu advogado".

O homem de bigode branco fechou a porta e ela o ouviu trancá-la.

Duas horas mais tarde, ele voltou com uma tigela de sopa, um pouco de carne fria e uma fatia de pão no prato, e uma xícara de café.

Estava deitada na cama, olhando para o teto. Levantou-se e encarou-o de maneira imperiosa. "Quero falar com —"

"Não comece de novo", disse irritado. "Não temos nada com você. Diga isso para o pessoal de Mile Valley, quando vierem buscá-la."

Colocou a comida na mesa e saiu do quarto. Ela comeu tudo o que ele tinha lhe trazido.

Já era quase o fim da tarde quando a porta se abriu novamente. "Aí está", disse o homem de bigode branco, e colocou-se de lado para deixar os seus companheiros entrarem. Eram dois homens de estatura mediana, com roupas banais, um com o peito estufado e ostentoso, o outro, menos pesado, mais velho.

O de peito estufado e ostentoso olhou Luise Fischer de cima a baixo e lhe sorriu com admiração. O outro disse: "Queremos que volte conosco a Valley, Senhorita Fischer".

Ela levantou-se da cadeira e começou a colocar o chapéu e o casaco.

"É assim que se faz", disse o mais velho dos dois. "Não se meta conosco e não vamos nos meter com você."

Ela olhou com curiosidade para ele.

Foram para fora e entraram em um sedan azul, coberto de poeira.

O homem de peito estufado dirigia. Luise Fischer estava sentada atrás, ao lado do homem mais velho. Refizeram o trajeto que ela e Brazil tinham feito naquela manhã.

Uma vez, antes de deixarem a cidade, ela disse: "Quero falar com meu advogado. O seu nome é Harry Klaus."

O homem a seu lado estava mascando chiclete. Fez ruídos com os lábios, depois disse-lhe em tom polido: "Não podemos parar agora".

O homem que estava ao volante disse, antes que ela pudesse responder. Não virou a cabeça. "Como foi que Brazil o esmurrou?"

Luise disse rapidamente: "Não foi culpa dele. Ele estava —"

O homem mais velho, dirigindo-se para o homem ao volante, interrompeu-a: "Deixe estar, Pete. Deixe o promotor público cuidar disso."

Pete disse: "Tá bem".

A mulher virou-se para o homem que estava ao seu lado. "Ma-machucaram Brazil?"

Ele estudou o seu rosto por um longo momento, depois acenou levemente com a cabeça. "Ficou no caminho de um projétil, ouvi dizer."

Os olhos se arregalaram. "Ele levou um tiro?"

Ele acenou com a cabeça novamente.

Ela colocou a mão no seu antebraço. "Muito ferido?"

Ele sacudiu a cabeça. "Não sei."

Os dedos apertaram o seu braço. "Ele foi preso?"

"Não posso dizer nada, senhorita. O promotor público não iria gostar nada, se eu dissesse algo." Estalou os seus lábios mastigando o chiclete.

"Por favor!" insistiu ela. "Preciso saber."

Ele sacudiu a cabeça novamente. "Nós não a estamos aborrecendo com uma porção de perguntas. Não aborreça a gente."

Conclusão

O relógio do painel marcava quase nove horas e já estava bem escuro, quando Luise Fischer e os seus captores passaram por um grande prédio quadrado, com um luminoso na fachada, que dizia "Companhia Madeireira de Mile Valley", e entraram em uma rua que, definitivamente, fazia parte de uma cidade, embora suas casas, aqui e ali, fossem esparsas. Dez minutos mais tarde, o sedan parou na frente de um prédio oficial, cinzento. O motorista desceu. O outro homem segurava a porta para Luise. Eles a levaram para uma sala no andar térreo do prédio cinzento.

Havia três homens na sala. Um homem de seus sessenta anos, com uma expressão triste, cabelo branco maltratado e bigode, estava sentado, inclinado para trás, com os pés sobre uma mesa de cor amarelada, bem gasta. Estava de chapéu, mas não de casaco. Um jovem louro, com um rosto pastoso, brincando com uma cadeira na frente de um arquivo, no outro lado da sala, dizia: "Então o caixeiro-viajante perguntou ao fazendeiro se poderia passar a noite e —", mas parou quando Luise Fischer e seus companheiros entraram.

O terceiro homem estava postado, com as costas para a janela. Era um homem magro, de altura mediana, de pouco mais de trinta anos, lábios finos, pálido, com trajes de mau gosto, em marrom e vermelho. O colarinho estava apertado. Avançou rapidamente em direção a Luise Fischer, mostrando os dentes alvos em um sorriso. ''Sou Harry Klaus. Não me deixaram ir até lá encontrar com você, por isso vim para cá.'' Falava com rapidez, muito seguro de si. ''Não se preocupe. Já arranjei tudo.''

O contador de casos hesitou, mudou a posição. Os dois homens que trouxeram Luise Fischer da cidade olharam para o advogado com um ar de desaprovação bastante óbvio.

Klaus sorriu novamente com muita segurança. ''Vocês sabem que ela não irá falar nada enquanto não discutirmos o assunto, não é? Então, o que estão esperando?''

O homem que estava sentado à mesa disse: ''Tudo bem, tudo bem''. Olhou para os dois homens parados atrás da mulher. ''Se o escritório de Tuft estiver vazio, deixe-os entrar lá.''

''Obrigado.'' Harry Klaus pegou a pasta marrom da cadeira, tomou o cotovelo de Luise Fischer com a mão e fez com que ela se voltasse para seguir o homem de peito estufado.

Ele os levou pelo corredor, por alguns metros, até um escritório semelhante àquele que tinham acabado de deixar. Não entrou com eles. Disse: ''Voltem quando tiverem terminado'', e, quando entraram, bateu a porta.

Klaus voltou a cabeça em direção à porta. ''Um monte de engraçadinhos'', disse alegremente. ''Vamos colocá-los nos seus lugares.'' Jogou a pasta sobre a mesa. ''Sente-se.''

''Brazil?'', disse ela. ''Ele está —''

Ele levantou os ombros quase até às orelhas. ''Não sei. Não consigo tirar nada dessa gente.''

''Então —?''

''Então ele conseguiu fugir'', disse ele.

''Você acha que ele conseguiu?''

Ele levantou os ombros de novo. ''Só podemos esperar que sim.''

''Mas um dos policiais disse-me que ele tinha sido baleado e —''

''Isto pode apenas significar que esperam tê-lo atingido.'' Colocou as mãos nos seus ombros e empurrou-a de volta à cadeira. ''Não adianta se preocupar com Brazil, até que se saiba se existe realmente algo com que se preocupar.'' Colocou uma outra cadeira perto da sua e sentou-se nela. ''Vamos nos preocupar com você agora. Quero os fatos — sem muitas delongas — apenas o que aconteceu, do jeito que aconteceu.''

Ela franziu as sobrancelhas numa expressão de surpresa. ''Mas você tinha me dito que tudo —''

''Disse que já tinha arranjado tudo, e é isso mesmo.'' Deu um tapinha no seu joelho. ''Consegui fixar sua fiança para que você possa sair daqui assim que eles acabarem de lhe interrogar. Mas temos de decidir que espécie de resposta você vai lhes dar.'' Olhou-a de maneira penetrante debaixo da aba de seu chapéu. ''Você quer ajudar Brazil, não é?''

''Sim.''

''É isso que importa.'' Deu um outro tapinha no

seu joelho e a mão ficou por lá. "Agora, comece a contar tudo, desde o começo."

"Você quer dizer, desde que conheci Kane Robson?"

Ele confirmou com a cabeça.

Ela cruzou os joelhos, fazendo com que a mão dele saísse. Fixando o olhar na parede à sua frente, como se ela lá não estivesse, disse, sincera: "Nenhum de nós dois fez algo errado. Não é justo passarmos por isso."

"Não se preocupe." O tom estava leve, confiante. "Vou tirar vocês dois disso." Ofereceu-lhe cigarros da cigarreira brilhante.

Ela pegou um cigarro, inclinou-se para a frente, para alcançar a chama do isqueiro e, ainda debruçada, perguntou: "Não vou precisar passar a noite aqui?"

Ele acariciou o seu rosto. "Acho que não. Não vai levar mais de uma hora para que eles terminem o interrogatório." Deixou a mão cair no seu joelho. "E quanto mais cedo terminarmos por aqui, mais rápido você fica livre deles.

Ela respirou profundamente e sentou-se direito na cadeira. "Não há muito a ser dito", começou, pronunciando as palavras cuidadosamente, para que soassem de maneira clara, apesar do sotaque. "Eu o conheci em um vilarejo, na Suíça. Estava sem dinheiro algum, sem amigos. Ele gostou de mim e era rico." Ele fez um pequeno gesto com o cigarro na mão. "Então, eu disse que sim."

Klaus concordou simpaticamente e os seus dedos se moveram por sobre os joelhos dela.

"Comprou-me roupas, aquelas jóias, em Paris. Não eram de sua mãe — elas foram um presente."

O advogado concordou novamente e os dedos moveram-se, de novo, pelos seus joelhos.

"Trouxe-me para cá e então —" enfiou a brasa do cigarro nas costas de sua mão — "eu fui morar na sua —"

Klaus retirou a mão do joelho dela, para a boca, chupando as costas da mão. "O que há com você?", perguntou indignado, as palavras meio abafadas pela mão na boca. Abaixou a mão e olhou para a queimadura. "Se não está satisfeita com alguma coisa, é só dizer, certo?"

Ela não sorriu. "Eu não falar direita a sua língua", disse imitando um sotaque grotesco. "Fiquei em sua casa por duas semanas — nem bem duas semanas — até —"

"Se não fosse por Brazil, podia procurar um outro advogado!", disse de mau humor, pela queimadura na mão.

"Até ontem à noite", continuou ela, "quando não o agüentei mais. Brigamos e fui embora. Fui embora assim como estava, com roupas de noite, com..."

Ela estava terminando a história quando a campainha do telefone tocou. O promotor público foi até a mesa e falou ao telefone. "Alô?... Sim... Mais alguns minutos... Certo. Obrigado." Voltou-se. "Eles estão ficando impacientes."

Ela levantou-se da cadeira, dizendo: "Já terminei... Aí a polícia chegou e ele escapou pela janela, e me prenderam por causa dos anéis."

"Você falou alguma coisa depois que foi presa?"

Ela sacudiu a cabeça. "Não me deixaram. Ninguém quis me ouvir. Ninguém se importou."

Um jovem de roupa azul, que precisava de uma boa passada, veio até Luise Fischer e Klaus, quando estavam deixando o edifício do tribunal. Tirou o chapéu e colocou-o sob o braço. ''Fenhorita Fifher, eu fou do Diario de Mile Valley. Você poderia —''

Klaus, sorrindo, disse: ''Agora não. Me procure no hotel pela manhã e lhe dou uma declaração.'' Estendeu ao repórter um cartão. Limpou a garganta. ''Estamos procurando alguma coisa para comer. Talvez possa nos dizer onde encontrar — e juntar-se a nós.''

O rosto do jovem ficou vermelho. Olhou para o cartão na sua mão e depois para o advogado. ''Muito obrigado, fenhor Klauf, vou fazer ifo. A Taverna, depoif da efquina. É o único lugar aberto a efa hora.''

Voltou-se para indicar o sul. ''O meu nome é George Dunne.''

Klaus apertou-lhe a mão e disse: ''Muito prazer em conhecê-lo'', Luise Fischer acenou com a cabeça e sorriu, e seguiram rua abaixo.

''Como está Conroy?'', perguntou Klaus.

''Ainda não fe recobrou'', disse o jovem. ''Elef ainda não fabem se é muito grave ou não.''

''Onde ele está?''

''Na cafa dof Robsonf. Eftão com medo de removê-lo.''

Viraram a esquina. Klaus perguntou: ''Alguma notícia do Brazil?''

O repórter torceu o pescoço, para conseguir falar com o advogado. ''Penfei que vocef já foubefem.''

''Soubessem o quê?''

''O que tinham de faber. Chegamof.''

Entrou com eles em um restaurante de azulejos brancos. Quando já estavam sentados à mesa, as doze ou mais pessoas sentadas no balcão e nas mesas olharam para Luise Fischer e começou a se ouvir um murmúrio no salão.

Luise Fischer, sentada na cadeira que Dunne lhe tinha oferecido, tomando um menu que estava sobre a mesa, não parecia perturbada, muito menos consciente do interesse dos outros por ela. Disse: "Estou com muita fome".

Um homem calvo e gordo com uma barba branca pontuda, sentado três mesas adiante, fitou os olhos de Dunne, enquanto o jovem dava a volta até a sua cadeira, e acenou com um gesto de cabeça.

Dunne disse: "Defculpem, mas é o meu patrão", e foi até a mesa do homem de barba.

Klaus disse: "É um bom sujeito".

Luise Fischer disse: "Temos de telefonar para os Links. Devem saber algo sobre Brazil."

Klaus fez uma careta, sacudiu a cabeça. "Não dá para confiar nessas telefonistas do interior."

"Mas —"

"Temos de esperar até amanhã. Já é muito tarde." Olhou para o relógio e bocejou. "Convença o garoto. Talvez saiba de algo."

Dunne voltou para junto deles. O rosto estava vermelho e parecia embaraçado.

"Novidades?", perguntou Klaus.

O jovem sacudiu vigorosamente a cabeça. "Ah, não!", disse com ênfase.

Um garçom aproximou-se da mesa. Luise Fischer pediu sopa, um filé, batatas, aspargos, salada, queijo e café, Klaus pediu ovos mexidos e café, Dunne, torta e leite.

Quando o garçom afastou-se da mesa, Dunne arregalou os olhos. Fixou o olhar para além de Klaus. Luise Fischer virou a cabeça para acompanhar o interesse do repórter. Kane Robson estava entrando no restaurante. Estava acompanhado por dois homens. Um deles — gordo, pálido, jovem — sorriu e tirou o chapéu.

Luise Fischer falou baixinho para Klaus: ''É Robson''.

O advogado não virou a cabeça. Disse: ''Está tudo bem'', e ofereceu-lhe a cigarreira.

Ela pegou um cigarro, sem tirar os olhos de Robson. Quando ele a viu, tirou o chapéu e inclinou-se. Disse alguma coisa a seus companheiros e, afastando-se deles, veio em direção a ela. Seu rosto estava pálido; seus olhos negros brilhavam.

Ela estava fumando quando ele chegou à mesa. Ele disse: ''Alô, querida'', e sentou-se na cadeira vazia à sua frente, no outro lado da mesa. Virou a cabeça para o repórter, por um instante, para dizer, despreocupadamente: ''Alô, Dunne''.

Luise Fischer disse: ''Este é o Senhor Klaus. Senhor Robson.''

Robson não olhou para o advogado. Dirigiu-se à mulher: ''Conseguiu arranjar a fiança?''.

''Como você está vendo.''

Ele sorriu com ironia. ''Queria deixar avisado que pagaria a fiança, caso você não o conseguisse, mas acabei esquecendo.''

Fez-se um momento de silêncio. Depois ela disse: ''Vou mandar buscar as minhas roupas amanhã. Pode pedir ao Ito que as coloque nas malas?''

''Suas roupas?'', deu uma risada. ''Você não possuía nada mais do que tinha no corpo quando a encontrei. Deixe o seu novo homem comprar-lhe novas roupas.''

O jovem Dunne enrubesceu e ficou olhando para a toalha da mesa, sem saber o que dizer. O rosto de Klaus não exprimia nenhuma emoção, exceto pelos olhos arregalados.

Luise Fischer disse suavemente: ''Os seus amigos vão sentir a sua falta, se ficar aqui muito tempo''.

''Deixe eles. Quero falar com você, Luise.'' Dirigiu-se a Dunne, impaciente: ''Por que vocês dois não vão até a esquina, hein?''

O repórter pulou da cadeira, gaguejando: ''Cl--claro, Fenhor Robfon''.

Klaus olhou, indagando Luise Fischer. Ela concordou de maneira quase imperceptível. Ele se levantou e deixou a mesa junto com Dunne.

Robson disse: ''Volte para mim e acabo com toda esta besteirada a respeito das jóias''.

Ela olhou-o com curiosidade. ''Você me quer de volta, sabendo que o desprezo?''

Ele confirmou, sorrindo. ''Isso até me diverte.''

Ela cerrou os olhos, estudando o seu rosto. Depois perguntou: ''Como está Dick?''

O rosto e a voz estavam maliciosamente alegres: ''Está morrendo com bastante rapidez''.

Ela parecia surpresa. ''Você o odeia?''

''Não o odeio — e também não gosto dele. Vocês dois se gostavam muito. Não vou permitir que dois parasitas, macho e fêmea, acabem se juntando assim.''

Ela sorriu com desprezo. ''Bem, acha que eu vou voltar com você, não?''

''Vou explicar àquela gente que, em relação aos anéis, foi tudo um engano e que você pensava que os tinha recebido de presente. Só isso.'' Ele a examinava de perto. ''Não há possibilidade de barganha quanto ao seu namorado Brazil. Ele vai receber o que merece.''

O rosto não demonstrava nada daquilo que ela estava pensando. Debruçou-se um pouco sobre a mesa, em sua direção, e falou com cuidado. ''Se você fosse tão perigoso quanto você acha que é, eu teria medo de voltar para você — preferiria ir para a prisão. Mas não tenho medo de você. Já deveria saber que você nunca vai conseguir me machucar muito, que consigo tomar conta de mim mesma.''

''Talvez você tenha de levar uma lição'', disse ele, rapidamente; então, recobrando o tom pragmático: ''Bem, qual é a resposta?''.

''Não sou boba'', disse ela. ''Estou sem dinheiro, sem amigos para me ajudar. Você tem os dois, e não tenho medo de você. Faço o melhor que posso por mim mesma. Primeiro vou tentar sair dessa sem você. Se não conseguir, volto para você.''

''Isso se eu quiser.''

Ela encolheu os ombros. ''É claro.''

Luise Fischer e Harry Klaus chegaram ao apartamento dos Links no final da manhã seguinte.

Fan abriu a porta para eles. Colocou os braços em volta de Luise Fischer. ''Está vendo, eu lhe disse que o Harry conseguiria soltá-la.'' Voltou-se para encarar o advogado rapidamente e perguntou: ''Você não deixou que eles a detivessem a noite toda, não foi?''

''Não'', disse ele, ''mas perdemos o último trem e tivemos de dormir no hotel.''

Entraram na sala.

Evelyn Grant levantou-se do sofá. Veio até Luise Fischer, dizendo: "Minha culpa. É tudo minha culpa." Os olhos estavam vermelhos e inchados. Começou a chorar novamente. "Ele tinha me contado sobre Donny — Senhor Link — e pensei que tinha vindo para cá, e tentei lhe telefonar. Papai me pegou e chamou a polícia. E eu só queria ajudá-lo —"

Da porta, Donny rosnou: "Quieta. Pare com isso. Feche a torneira." Dirigiu-se com petulância a Harry Klaus: "Ela já está assim há uma hora. Está me deixando maluco."

Fan disse: "Deixe a garota em paz. Ela não está bem."

Donny disse: "Também, pudera". Sorriu para Luise Fischer. "Alô, queridinha. Tudo em ordem?"

Ela disse: "Como vai? Acho que sim."

Ele olhou para as suas mãos. "Onde estão os anéis?"

"Tivemos de deixá-los por lá."

"Eu lhe falei!" A voz soava amarga. "Eu falei para você me deixar vendê-los." Voltou-se para Klaus. "Dá para dar um jeito nisso?"

O advogado não disse nada.

Fan tinha levado Evelyn até o sofá e tentava reconfortá-la.

Luise Fischer perguntou: "Sabem algo sobre —"

"Brazil?", disse Donny antes que ela pudesse terminar a frase. Ele confirmou. "Sim. Ele está bem." Olhou, por sobre os ombros, para a garota no sofá e disse, então, em voz baixa. "Ele está no Sanatório Hilltop, fora da cidade — supostamente com delirium tremens. Você sabe que ele foi atingido no lado. Mas ele está bem — o doutor Barry está dando cobertura e vai deixá-lo novinho em folha. Ele —''

Os olhos de Luise Fischer estavam ficando cada vez maiores. Colocou uma mão na garganta. ''Mas ele — Doutor Ralph Barry?'', perguntou.

Donny balançou a cabeça de cima para baixo. ''Sim. É um bom sujeito. Ele vai —''

''Mas é um amigo de Kane Robson!'', gritou. ''Eu o conheci lá na casa de Robson.'' Ela voltou-se para Klaus. ''Ele estava lá no restaurante, ontem à noite — aquele gordo.''

Os homens olharam todos para ela.

Ela tomou o braço de Klaus e sacudiu-o. ''Era por isso que estava lá ontem à noite — para ver Kane — para perguntar-lhe o que deveria fazer.''

Fan e Evelyn tinham levantado do sofá e estavam escutando.

Donny começou: ''Ah, talvez esteja tudo bem. O doutor é um bom sujeito. Não acho que ele —''

''Pare com isso!'', Klaus grunhiu. ''Isto é sério — muito sério.'' Franziu a testa pensativamente, voltado para Luise Fischer. ''Não há chance de estar enganada quanto a isso?''

''Não.''

Evelyn colocou-se entre os dois homens para confortar Luise Fischer. Estava aos prantos novamente, mas agora com raiva.

''Por que teve de colocá-lo nessa confusão toda? Por que você tinha que aparecer com todos os seus problemas? A culpa é sua, se ele for parar na prisão — e ele vai endoidecer lá! Se não fosse por você, nada disso teria acontecido. Você —''

Donny tocou o ombro de Evelyn. ''Acho que vou lhe dar uma porrada'', disse.

Ela afastou-se dele.

Klaus disse: "Pelo amor de Deus, vamos acabar com essa gritaria e decidir o que fazer". Franziu o cenho para Luise Fischer, de novo. "O Robson não lhe falou sobre isso ontem à noite?"

Ela sacudiu a cabeça.

Donny disse: "Escutem. Nós temos de tirá-lo de lá. Não faz —"

"Isso é fácil", disse Klaus, com muito sarcasmo. "Se era para acontecer algo por lá" — encolheu os ombros — "já deve ter acontecido. Temos de descobrir. Você consegue chegar até ele?"

Donny concordou com a cabeça. "Claro."

"Então vá. Tente alertá-lo — descubra o que está acontecendo."

Donny e Luise Fischer deixaram a casa pela porta dos fundos, atravessaram o pátio até o beco e andaram por dois quarteirões. Não viram ninguém que os seguisse.

"Acho que estamos a salvo", disse Donny, e seguiu na frente, entrando por uma rua que cruzava com aquela.

Na outra esquina havia uma garagem e uma loja de consertos. Um homem moreno, baixinho, estava mexendo em um motor.

"Oi, Tony", disse Donny. "Empreste-me uma lancha."

O homem moreno olhou com curiosidade para Luise Fischer, enquanto dizia: "O que você quiser. Pegue aquela que está lá no canto."

Entraram no sedan preto e saíram estrada afora. "Não é longe", disse Donny. Então: "Eu quero tirálo de lá".

Luise Fischer permanecia em silêncio.

Depois de meia hora, Donny entrou por uma estrada, no fim da qual, um prédio branco começava a aparecer.

"Ai está", disse ele.

Depois de deixar o sedan na frente do prédio, passaram por uma placa preta e dourada, que dizia "Sanatório Hilltop", e entraram em uma sala.

"Queremos ver o Senhor Lee", disse Donny à enfermeira que estava no balcão. "Está nos esperando."

Ela umedeceu os lábios com nervosismo e disse: "É o duzentos e três, bem perto do final da escada."

Subiram uma escada escura até o segundo andar. "É aqui", disse Donny, parando. Abriu a porta sem bater e empurrou Luise Fischer para dentro.

Além de Brazil — deitado na cama, a palidez mais acentuada que o normal —, havia mais dois homens no quarto. Um deles era o homem imenso, de rosto cansado, que tinha detido Luise Fischer. Ele disse: "Não devo deixar que vocês o vejam".

Brazil levantou-se um pouco na cama e estendeu a mão para Luise Fischer.

Ela deu a volta em torno do homem imenso, até chegar à cama e tomar a mão de Brazil. "Oh, queria me desculpar — desculpe!", murmurou.

Ele sorriu sem prazer. "Má sorte, mas tudo bem. Estou morrendo de medo das malditas grades."

Ela inclinou-se e beijou-o.

O homem imenso disse: "Vamos. Vocês têm de sair. Vou me meter em encrenca por isso."

Donny deu um passo em direção à cama. "Escute, Brazil. Será que —"

O homem imenso estendeu uma mão e empurrou Donny para trás, com mau humor. "Vá embora. Não há motivo para vocês ficarem por aqui." Colocou a mão no ombro de Luise Fischer. "Por favor, vá embora, está bem? Diga adeus agora — e talvez você possa vê-lo mais tarde."

Ela beijou Brazil de novo e levantou-se.

Ele disse: "Tome conta dela, tá, Donny?"

"Claro", prometeu Donny. "E não deixe que o aborreçam. Vou mandar o Harry vir aqui e —"

O homem imenso rosnou. "Isso vai levar o dia inteiro?"

Tomou o braço de Luise Fischer e colocou Donny e ela para fora.

Foram em silêncio até o sedan e nenhum dos dois falou antes de entrarem na cidade novamente. Aí Luise Fischer disse: "Poderia, por gentileza, me emprestar dez dólares?"

"Claro." Donny tirou uma mão do volante, remexeu o bolso da calça e deu-lhe duas notas de cinco dólares.

Ela disse então: "Gostaria de ir até a estação".

Ele franziu o cenho. "Para quê?"

"Quero ir até a estação", repetiu ela.

Quando chegaram à estação, ela desceu do sedan.

"Muito obrigado", disse ela. "Não espere por mim. Volto mais tarde."

Luise Fischer entrou na estação e parou em uma banca de jornais, onde comprou um maço de cigarros. Depois foi até a cabine telefônica, pediu uma chamada interurbana e deu o número de Mile Valley.

"Alô, Ito?... O Senhor Robson está? Aqui fala Fräulein Fischer... Sim." Pausa. "Alô, Kane... Bem, você venceu. Teria ganho tempo se tivesse me contado o que sabia ontem à noite... Sim... Sim, eu estou."

Colocou o fone no gancho e olhou-o firmemente durante um momento. Depois, deixou a cabine, foi até o guichê e disse: "Uma passagem para Mlle Valley — só de ida, por favor."

A sala era grande e tinha um pé direito alto. A mobília era toda no estilo Stuart. Kane estava confortavelmente esparramado em uma cadeira. À altura do cotovelo, havia uma mesinha com um serviço de café em prata e cristal, um frasco em prata e cristal — cheio até à metade —, alguns copos, cigarros e um cinzeiro. Seus ollhos brilhavam com o reflexo do fogo na lareira.

Afastada uns três metros, meio olhando para ele, meio olhando para a lareira, estava sentada Luise Fischer, em posição mais ereta, em uma cadeira menor. Estava com um negligée e chinelos claros.

Em algum lugar da casa, um relógio dava as batidas da meia-noite. Robson escutou-as atentamente, antes de continuar a falar: "E você está cometendo um grande engano, minha querida, com essa sua autoconfiança".

Ela bocejou. "Dormi muito pouco ontem à noite", disse. "Estou com muito sono para ficar assustada."

Ele levantou-se, sorrindo para ela. "Também não dormi nada. Vamos dar uma olhada no inválido, antes de dormir?"

Uma enfermeira — uma mulher de meia idade, miúda, de branco — entrou na sala, ofegante. "Acho que o Senhor Conroy está recobrando a consciência", disse.

A boca de Robson se retesou e os olhos, depois de hesitarem por um momento, firmaram-se. "Chame o Doutor Blake", disse. "Pediu para ser informado." Voltou-se para Luise Fischer. "Vou para cima, ficar com ele até que ela termine de telefonar."

Luise Fischer levantou-se. "Vou com você."

Ele franziu os lábios. "Acho melhor não. Talvez a excitação provocada pela presença de muita gente — a surpresa de vê-la novamente por aqui — não vá lhe fazer bem."

A enfermeira tinha acabado de deixar a sala.

Ignorando a risada de Luise Fischer, ele disse: "Não; é melhor ficar aqui, minha querida".

Ela disse: "Não".

Ele encolheu os ombros. "Muito bem, mas —", subiu as escadas antes de terminar a sentença.

Luise Fischer subiu atrás dele, mas não com a sua velocidade. No entanto, chegou ao quarto do doente em tempo de perceber o profundo medo que transparecia nos olhos de Conroy, antes que se fechassem e sua cabeça toda enfaixada caísse de volta ao travesseiro.

Robson, parado perto da porta, disse suavemente: "Ah, desmaiou mais uma vez". O olhar revelava descaso.

Os olhos dela estavam sondando. Permaneceram parados, olhando um para o outro, até que o mordomo japonês apareceu na porta e disse: "Um Senhor Brazil veio ver Fräulein Fischer".

No rosto de Robson, pouco a pouco, ia se formando uma expressão que lembrava alguém rindo de uma piada que só ele era capaz de entender. Disse:

"Leve o Senhor Brazil até a sala. Fräulein Fischer irá descer em um minuto. Telefone para o subdelegado.

Robson sorriu para a mulher. "Então?"

Ela não disse nada.

"Qual a escolha?", perguntou ele.

A enfermeira entrou. "O Doutor Blake não está, mas deixei um recado." Luise Fischer disse: "Acho que o Senhor Conroy não deveria ser deixado sozinho, Senhorita George".

Brazil estava parado no meio da sala, equilibrando-se sobre as pernas bem abertas. Segurava o braço esquerdo rente ao corpo. Vestia um casacão escuro, que estava abotoado até em cima. O rosto era uma máscara amarelada, fantasmagórica, na qual apareciam os olhos que queimavam, vermelhos. Falou entre os dentes: "Disseram que você tinha voltado. Tinha de me certificar." Cuspiu no chão. "Rameira!"

Ela deu um chute no chão. "Não seja idiota. Eu —", interrompeu quando a enfermeira passou pela porta. Disse secamente: "Senhorita George, o que está fazendo?"

A enfermeira disse: "O Senhor Robson disse que era para eu tentar achar o Doutor Blake na casa da Senhora Webber".

Luise Fischer voltou-se, parou para tirar os chinelos e correu escada acima apenas de meias. A porta do quarto de Conroy estava fechada. Abriu-a com um empurrão.

Robson estava debruçado sobre o doente. As mãos sobre a sua cabeça enfaixada, apertando o seu rosto contra o travesseiro. Os polegares faziam pressão na nuca. Parecia concentrar todo o seu peso naquele gesto. A expressão era de um tresloucado. Os lábios estavam úmidos.

Luise Fischer gritou: "Brazil!" e jogou-se contra Robson, agarrando-lhe as pernas.

Brazil entrou no quarto, todo desajeitado, o braço esquerdo colado ao corpo. Arremessou o punho direito, conseguiu errar a cabeça de Robson por quase meio metro, levou dois socos na cara, de Robson, pareceu não se importar com isso e impulsionou o punho direito no estômago de Robson. A mulher não largava os tornozelos de Robson, impedindo que ele recuperasse o equilíbrio. Caiu pesado.

A enfermeira estava ocupada com o paciente, que estava tentando sentar na cama. Lágrimas corriam pelo rosto. Estava soluçando: "Ele tropeçou em um pedaço de madeira enquanto me ajudava a ir até o carro e, com ele, me bateu na cabeça".

Luise Fischer ajudava Brazil a sentar-se no chão, com as costas voltadas para a parede, limpando seu rosto com um lenço.

Ele abriu um olho e murmurou: "Esse sujeito estava louco, não?".

Ela colocou um braço ao seu redor e riu como se estivesse arrulhando. "Todos os homens são assim."

Robson não se mexeu.

Ouviu-se um barulho e três homens entraram.

O mais alto olhou para Robson e depois para Brazil e deu uma risada entre os dentes.

"Aí está o nosso amigo que não gosta de hospitais", disse. "Sorte ele não ter escapado de uma escola, pois poderia ter machucado muita gente."

Luise Fischer tirou os anéis e colocou-os no chão, ao lado do pé esquerdo de Robson.